봉주르, 마담 양!

Bonjour, Madame YANG!

지은이 **양수경** 외

도서출판 **얼레빗**

내가 본 양수경 선생님

최 민(전남대 불어불문학과 교수)

지난 2월, 양수경 선생께서 평생을 바친 교단에서 은퇴를 하셨다. 나는 그만 숙연한 마음이 되어, 선생님의 열정에 감탄하던 순간들이 먼저 떠올랐지만, 또 한편 아직도 현직에서 계속 힘을 내실 시간이 벌써 다한 것인가 하는 아쉬움에 한동안 젖어 있었다. 뭔가 기댈 수 있는 든든한 것을 잃어버린 듯한 이런 감정은 아마도 나만의 것이 아니라, 같이 활동을 하셨던 많은 동료 선생님들, 그리고 누구보다도 제자들에게 더 깊게 느껴졌을 것이다.

하지만, 같은 시간을 가지고도 그것을 최대한 충만하게 산 사람은 퇴장을 할 권리가 있다. 열정을 다해 소진한 시간으로 인해 진정 의미 있는 보상을 받을 수 있는 사람들은 많지 않을 것이다.

같은 도시의 대학에 자리 잡은 이후에도 내가 양 선생님의 존재를 알게 된 것은 다른 동료들에 비해 이르지 않았다. 프랑스 문학을 가르치느라 만난 학생들 중에 여럿이 고등학교에서 좋은 교육을 받고 왔음을 깨달았는데, 나중에 보니 그들이 양 선생님에게서 배운 제자들이었던 것이다. 그리고 이내 양 선생님이 프랑스어 교육 분야에서 명성이 자자한 분이라는 것을 들을 수 있었지만, 가까이서 뵙는 기회는 퍽 늦었던 것 같다. 어느 회의에서 양 선생님의 발언을 경청했을 때의 느낌이 선명하게 남아있다. 나는 그날 '명불허전이구나'하고 되뇌었는데, 그만큼 논

3

리와 당당함으로, 군더더기 하나 없이, 길지 않은 시간을 설득력 있게 이끌었었다.

많지 않은 모임이나 만남 속에서 내가 뵌 양 선생님의 모습은 항상 그런 선명함을 보여주셔서, 전공 분야인 프랑스 문화에 잘 어울리는 이 지적인 여성상을 대변하고 있었다. 게다가, 그렇게 맺고 끊음이 확실한 분명함은 가치 판단에서 올곧음을 포기하지 않는 어떤 의로운 것과 만나고 있었다. 산다는 것은 때로는 유리한 것을 찾아가고 자존감을 포기하며 비굴한 선택을 하게도 만들지만, 양 선생님에게는 그런 타협을 거부하는 강인함과 엄격함이 지적인 면모 이상으로 개성을 형성하고 있었다. 나는 그런 용기가 지성에 바탕을 두고 한 교사의 삶을 지탱해 주고 있구나 하고 감탄하면서도, 그렇다고 해도 때로 그러한 삶을 유지하려면 많은 피곤을 감당하고 귀찮음을 겪으실지 모른다고 생각했었다.

하지만 사람이 그같이 겉으로 명료하게 표현되는 자질이나 능력만으로 다 완성되지는 않을 것이다. 언제부턴가 나는 양 선생님의 그 명료하고 의지적인 면모 속에 여리고 감성적인 바탕이 자리 잡고 있고, 그것이 오히려 이분을 더 잘 알게 해주는 핵심적인 원소가 아닐까 생각하게 되었다. 본인은 빈틈없는 언어로 절제된 사고와 감정을 표현하면서도, 양 선생님은 다른 이의 허물이나 여물지 않은 생각들을 잘 이해해 주고, 딱한 사정에 대해서는 공감을 잃지 않는 분이었다. 적어도 그 대상이 악의적인 존재가 아닐 때는…. 피곤할 수도 있는 엄정함과 의무가 내부에서 부드러움과 자상함에 의해 뒷받침되어 선생님의 교직 활동을 이룩했으리라는 짐작이 별난 것은 아닐 것이다. 여리고 무른 그런 마음이야말로 한 삶의 일관성을 더 잘 설명해 줄 것 같다.

한 장의 사진이 기억난다. 바로 프랑스 대통령 관저인 엘리제궁에서 대여섯 명의 제자들에게 둘러싸여 행복한 웃음을 짓고 있는 양 선생님의 모습이다. 이미 드높은 영예를 그 나라 정부로부터 수여 받은 바 있었지만, 교직자로서 양 선생님이 그 자리에서 같이하고 싶은 존재들은 바로 자신의 제자들이었을 것이다. 아버님의 조언으로 하나의 전공을 택하고, 전공자와 교사로서 지녀야 할 능력과 적성을 스승으로부터 확인받았으니, 이제 더 큰 배려와 애정으로 자신을 제자들에게 돌려주어야 할 의무가 남았다. 그것은 단지 명민함과 의지 만으로가 아니라 따스함과 연민으로 이루어지는 것이고, 더 긴 생명을 지니는 것이다.

양 선생님이 보여준 열정은 그런 일관성을 내용으로 담고 있다. 외국어로서의 가치가 떨어진 것이 아닌데도 상급 학교 입학의 수단으로서 경쟁력이 떨어진다는 이유로 많은 학생과 교사들이 선택을 바꿀 때도 양 선생님은 불어 교사로서의 사명감을 잊지 않고 그 길을 고수해 오셨다. 더 편하고 유리한 다른 길이 주어진다고 해도 그 앞에서 마음을 고쳐먹지 않는 것은, 머리와 의지가 가리키는 길이기도 했겠지만, 선생님의 내부에서 변치 않는, 소중한 것들을 저버리지 않겠다는 집착과 존중, 그 책임을 감당하겠다는 자신과의 약속에서 유래했을 것이다. 그 충심을 프랑스어는 '피델리테 (fidélité)'라고 표현한다. 나는 양 선생님의 삶에서 그 여린 애정이 교사의 사명으로 발휘되고 프랑스어 교육이라는 분야로 표명된 것이 우리의 행운이 되었고, 우리가 이분의 삶을 참고하고 스스로 반성할 주제를 준다고 생각한다. 젊은 날의 선택에 충실함을 끝까지 유지하고 삶을 일관되게 산 사람은 행복할 것이다.

제자이자 동료이며 스승인 아이들

풋풋했던 여고 시절을 회상해보면 그 당시 나를 가르치시던 선생님이 어느 순간 나와 같은 길을 걷고 있는 동료가 되었다. 또한, 내가 한국어 교사 자격증을 얻기 위해 공부할 때는 제자 중의 한 명이 내가 선택한 과목의 담당 교수였다. 그렇다. 제자와 교사의 삶이 서로 얽혀서 과거의 제자가 어느 순간 자신의 동료가 되고 나아가 스승이 된다.

이런 시간을 마주할 때마다 미래에 어떻게 성장할지 모르는 제자들을 대하는 마음이 조심스러울 수밖에 없다. 따라서 성적으로 그들을 나누고 그들의 창창한 미래를 성적의 부속품으로 판단하지 않도록 노력해야 한다. 어느 교사에게나 제자들은 값을 매길 수 없는 큰 재산이기 때문이다.

"그 옛날 흰 우유만 있는 줄 알고 있는 우리에게 선생님은 바나나 우유, 딸기 우유, 초콜릿 우유도 있다는 것을 설명해주신 분이었다." 패션을 공부하러 프랑스로 떠났던, 40대 후반의 제자가 그렇게 말했다. 제자의 표현이 신선하게 다가왔다. 제자는 교사의 설명을 나름의 기준으로 분류했고 그 분류능력은 학생의 능력인 것이다. 학생들은 내가 보지 못했던 시각에서 사물을 보고 생각하지도 못했던 방법으로 지식을 융합하여 창의적 산물을 내게 보인다. 이렇듯 학생들은 교사가 생각지도 못한 방법으로 지식을 쌓아간다.

37년의 교직 생활을 마무리하며 제자들에게 명퇴 소식을 알리니 학생들이 이런저런 사연들을 보내왔다. 무심코 보냈던 교단에서의 시간이 명퇴를 앞둔 지금, 내게는 형태도 없이 사라지고 분필 가루에 지친 뻣뻣해진 손과 누적된 피로감, 그리고 낡은 교과서만 남았다고 생각했는데 그렇게 무심히 흘렀던 시간이 제자들에게 다양한 형태로 자리매김되였음을 깨닫고 아이들의 글에서 잔잔한 감동이 전해졌다. 글을 읽는 도중에 때로는 뭉클하고 때로는 과거로 돌아가 한참 동안 그 순간에 빠져들어 갔다.

　시간이 흐르면 기억들이 옅어져 가고 어느 순간에 힘없이 희미하게 사라질 과거의 소중한 기억들을 형상화 하고 싶었다. 기억의 그물망에서 더 이상 새나가지 않도록 시간을 가두고 그 추억을 공유하고자 책을 만들기로 했다. 바쁜 중에도 사연을 보내온 74명의 소중한 제자들의 사연들을 엮어 한 권의 책을 만드는 것은 교사로서 가슴 벅차고 소중한 작업이다. 직장 이동과 신상의 문제로 어려움을 겪어 사연을 못 보내 아쉽고 죄송함을 전해오는 제자들, 바쁠 것 같아 연락도 안 했는데 다른 친구들한테 소식을 전해 듣고 사연을 보내온 제자들, 모두가 나에게는 귀하고 소중한 제자들이다. 37년이 나에게 돌려준 귀한 자산에 한없는 고마움을 느낀다.

　이 책이 나오기까지 여러 충고와 도움을 아끼지 않으신 정명혜 교수님께 고마움을 표하며 오랜 시간, 나의 곁을 든든히 지켜준 가족과 동료들 그리고 나의 귀한 제자들에게 이 책을 바친다.

2021년 2월
빛고을에서 　양 수 경

차례

✳ 1부 _ 교단노트

✳ 2부 _ 선생님 사랑해요 (가나다 순)

✱ 3부 _ 그리고 남은 이야기

제1부

교단노트

한계를 넓히는 제2외국어로서의 프랑스어

2015 개정 교육과정의 특징은 학생의 선택을 보장하고 존중하는 것이다. 학생의 선택권 없이 획일적으로 과목을 개설해서 의무적으로 수업을 했던 과거에서 탈피하는 것은 잘한 일이다.

그러나 학생이 바른 선택을 할 수 있도록 교과에 대한 충분한 정보 제공과 안내에 대한 시간을 의무적으로 확보하여 실시해야 함이 바람직하지만, 현장에서의 그런 실천은 미흡하다. 학교에 따라서는 17명의 소수가 선택했는데도 과목개설을 하는 학교가 있는가 하면 29명이 선택한 과목을 강사 공고도 내지 않고 과목을 폐지하여 다른 과목으로 선택을 유도하는 학교도 있다. 그 대표적인 과목이 제2외국어와 사회, 과학 선택 군이다.

제2외국어에 관해 살펴보면 현재 중국어와 일본어에 편중되어 프랑스어나 독일어 등 유럽 언어가 소외된 한국의 제2외국어 교육의 현실이 안타깝다. 영어 하나로 우리 한국의 젊은이들이 아시아를 제외한 세계화에 당당히 입성할 수 있을 것인가? 언어를 매개로 아시아를 넘어 세계적으로 자신의 능력을 좀 더 글로벌하게 확장할 수 있는 발판이 형성되지 못한 현실은 해를 거듭해도 여전하다. 한국과 지리적으로 가까운 곳에 있고 유럽어와 비교하면 상대적으로 쉽다고 생각하는 이유로 편중된 언어의 선택은 여전히 학생들의 선택권 보장이라는 이유로 방치되고 있다. 균형 잡힌 영양식을 위해 음식을 골고루 섭취해야 하는 이유는 잘 알지만, 편식하는 아이를 어찌하지 못하고 그대로 내버려 두는 경우와 다를 바 없다는 생각이 든다.

　　반대로 고등학교에서 거의 가르치고 있지 않은 아랍어가 수능에서 제2외국어에 포함되고 많은 학생이 아랍어를 선택하여 요행으로라도 점수를 얻고자 하는 현실은 이해가 되지 않은 한국교육의 부끄러운 모습이다. 한국교육과정평가원 보도자료에 따르면 최근 2년간 아랍어 선택자 비율은 제2외국어 전체 응시자의 평균 70%를 차지하고 있다. 무슨 아이러니인가?

　　Paris UNESCO 본부에서 인턴을 했던 제자의 말이 생각난다. "불어를 배우기를 정말 잘했고 그 불어선택은 저에게 행운이었어요." 고등학교 시절 불어를 배우면서 그 불어 습득이 훗날 파리 유네스코 본부에서 근무하는 데 도움이 될 줄을 어떻게 알았겠는가? 건강하고 능력 있는 사람이 되기 위해서는 여전히 균형 잡힌 학습이 이루어져야 한다고 생각한다. 내가 가르치고 있는 외국어가 학생들의 먼 미래에 어떤 식으로든 긍정적인 영향을 주리라는 희망이 열심히 가르쳐야 하는 또 하나의 이유이기도 했다.

올바른 사회의 일원이 되기 위해

학생들은 숙제와 성적 스트레스로 배우는 것에만 익숙해 있다. 교사는 시험 범위를 위해 진도 빼기에 급급하고 학생들은 교사의 설명을 듣는 것에 익숙하다. 열린 수업, 거꾸로 학습, 배움의 공동체, 하브루타 수업 모두가 어느 정도 학생들의 수업 형태를 바꿔 놓았고 상당한 효과를 보였지만 결국 고등학교에 들어와서는 학년이 올라갈수록 그 수업을 실천하는 횟수가 줄어든다. 수능을 준비하는 현실적인 수업이 아니기 때문이다.

한국을 비롯한 몇 개의 국가에서만 유지되고 있는 선다형 시험형태가 바뀌지 않는 한 어려서부터 공들여 쌓아온 여러 형태의 수업의 효과는 막바지에 이르러 곤두박질을 친다. 한국의 수학시험지를 받아 본 프랑스의 고등학생들이 '이 시험지 점수가 대학 입시에 영향을 미치는 것이 사실인지를 물었다. 5개 선택지에서 우연히 정답을 찍어 맞힐 수도 있는데 그것도 '과연 안다'라고 말할 수 있느냐는 것이다. 그 질문에 적절한 대답을 할 수가 없었다.

이렇든 우리 학생들은 시험과 점수의 노예가 되어 자기 삶의 주체가 되질 못 하고 있다. '진정한 나'는 가슴 한 켠에 놔두고 부모가 원하는, 사회가 원하는 또 다른 자아를 잘 훈련 시키고 있는 것이다. 시험이 끝나면 그제야 한숨 돌리고 자기가 읽고 싶은 책을 꺼내서 읽는다. 그것도 단 며칠 동안만의 여유이다.

학생들은 학교에서 습득한 지식을 내재화하여 실천하려고 애쓰는 시간적, 정신적 여유가 없다. 가족의 일원이고 학급의 일원이며 더 나아가 사회의 일원이라는 것을 잊고 살아간다. 자신의 존재가 어디서든 어느 집단의 일부임을 잘 인식하지 못한다. 전체가 원활하게 돌아가기 위해서 각 부분이 어떻게 움직여야 하는지, 어떤 의무와 배려를 해야 하는지 생각할 겨를과 여유가 없다.

　　교사의 잔소리(?)가 필요하다. 자신은 누구이고 가족을 위해서, 학급을 위해서, 나아가 사회와 국가를 위해서 어떤 역할을 하고 타인을 위해서 왜 배려해야 하는지에 대해 잔잔한 가르침이 필요하다. 올바른 사회의 일원이 되기 위해서는 톱니바퀴의 기능과 효과에 대한 인식이 현장에서 절실히 요구된다. 학생을 비롯한 우리가 모두 전체 중 일부라는 것을 인식하고 행동할 때 배웠던 지식을 올바르게 사용할 수 있을 것이고 더불어 살아가는 사회가 구축될 수 있을 것으로 기대한다.

어떻게 수업할까?

일상에서 접할 기회가 쉽지 않은 프랑스어기 때문에 배운 내용을 실습하는 기회가 거의 없다. 작년에는 다행히도 원어민 수업을 병행할 수 있어 학생들이 매우 행복해했었다. 교육청 지원이 있기 전에는 개인 비용을 투자해서라도 1년에 적어도 한번은 프랑스인을 초청하여 '말하기 수업'을 실천했다.

그동안 배웠던 일상의 표현들을 외국인 앞에서 직접 구사하고 원어민이 자신의 발음을 알아듣고 대답을 하거나 다시 질문하면 부끄럽고 당황스러워 얼굴이 빨갛게 달아올라도, 그리고 가끔씩 애틋한 원조의 눈길을 교사에게 보내면서도 중간에 포기하지 않고 끝까지 대화를 이어가는 학생들의 모습에 대견함과 아울러 숭고함까지 느끼곤 한다. 또한 복잡하고 어려운 단원일수록 학생들이 수업에 흥미를 잃을까 봐 교사는 수업방법에 더 많은 시간을 고민하게 된다.

말하기 수업은 가령, 전화상의 표현을 공부할 때는 표현을 다 익히고 난 다음 역할놀이로 핵심내용을 반복하게 하고 다음 시간에는 외국인과의 직접 통화를 시도했다. 스피커폰으로 상대의 통화 내용을 공유하여 대화에 동참하는 학생들은 통화 당사자인 친구만큼이나 긴장하고 상기되고 집중하는 표정이 역력했다.

옆에서 단어나 표현들을 서로 가르쳐주면서 이미 학생들은 한마음으로 통화를 이어나갔다. 물론 상대 외국인한테는 이미 학생들이 습득한 단어와 표현들을 미리 가르쳐주고 말의 속도를 조금 늦춰주라고 부탁을 한다. 학생들은 외국인의 말을 알아들을 때 자신감이 생기고 더욱 큰 에너지로 수업에 임한다. 말의 속도는 자신감과 매우 긴밀한 관계를 갖기 때문이다. 한국에 거주하는 프랑스인은 수업시간에 맞춰 통화하는 것이 비교적 쉬운 일이지만 마땅한 대화상대가 없을 때는 프랑스와의 시차 때문에 오전 수업은 프랑스 현지인과의 전화 수업 시도가 쉽지 않다. 지방에 거주하는 프랑스인이 거의 없기 때문에 외국어 교사로서 한계를 느낀다.

'쓰기 수업'은 페이스북에서 프랑스 친구들과 메시지 기능을 통하여 대화를 시도했다. 나이와 거주지를 묻고 답하는 표현들을 타이핑하고 그 질문에 답하는 형식을 취했다. 프랑스 친구는 그 질문에 쉬운 단어를 사용하여 대답을 해주었다. 학생들은 여전히 묻고 싶은 질문을 모둠별로 모여 질문지를 작성하고 이 메시지를 노트북을 통하여 타이핑 하고 다른 학생들은 교실 내의 모니터를 통해 대화 내용을 공유했다. 어쩌다 철자가 틀리면 누구든 뛰어나와 철자를 바로 잡았다.

교사는 학생들의 학습 동기 유발을 끌어내기 위해 많은 노력을 한다. 자신의 계획대로 학생들이 잘 이해를 하는지 그들의 세세한 표정을 놓치지 않으려 노력한다. 철저한 수업준비를 하고 교실로 향하는 교사의 기대에 찬 발걸음과 학생들의 거침없는 질문을 기다리는 재미로, 학생은 학원을 배제한 교사의 원초적 설명을 기대하며 교사의 열정적인 수업을 기다리는 재미로, 이렇게 학교생활이 이어진다면 얼마나 좋을까! 2015년 프랑스 정부로부터 불어교육과 관련하여 학술공헌 훈장을 받았다. 프랑스 대사가 직접 대광여고를 방문하여 프랑스 교육부 장관을 대신하여 훈장을 수여하고 그간의 현장교육에 대한 격려가 있었다. 개인적으로 매우 영광스러운 일이지만 한편으로는 수업에 대한 중압감을 느꼈다. 더 잘 가르쳐야되는데...

37년의 교수-학습 경험이 축적되어 나이는 이렇게 들어가는데도 마음은 해마다 더 잘 가르칠 수 있을 것 같은 착각(?)이 든다. 하지만 수업을 잘하는 것도 중요하지만 그들의 고민과 즐거움을 공감하는 교사가 되는 것도 중요하다. 그러기 위해서 교사는 자신의 전공은 물론 타 과목에 대한 배경지식을 습득하여 공감대를 형성하는 노력이 필요하고 장차 학생들이 대학을 졸업하고 사회에 발 디딜 때쯤 세상이 어떻게 변해갈지에 대해 국제 흐름에도 관심을 가져야 대학에 진학할 때 조금이라도 도움을 줄 수 있을 것이다.

좋은 수업을 받아 본 학생이 좋은 수업을 할 수 있을 것이다. 고등학교 시절 나의 불어를 담당하셨던 나광율 선생님과 지금은 작고하신 대학시절 때의 조우현 교수님은 그런 점에서 학생들에게 비전을 제시해 주시고 늘 성실함을 보여주셨던, 잊지 못할 좋은 스승님이셨다.

"하늘은 누구의 것이냐?"

학교 다니기에 급급해 아이들과 놀아줄 시간이 충분치 않았던 어느 날, 아이들과 가까운 교외의 한 절을 방문했다. 모처럼의 가족 나들이에 즐거워하는 아이에게 "하늘은 누구의 것이냐?" 라고 어느 스님이 물었다. 그런 질문은 처음이었고 누가 대답하든지 간에 그 질문에 대한 답은 쉽지 않을 것으로 생각하던 중에 "하늘은 하늘을 쳐다보는 사람의 것이에요." 라고 그 당시 여섯 살배기 아들이 대답했다.

공기는 만질 수도 볼 수도 없다고 말하는 엄마 앞에서 검정 비닐봉지에 입김을 불어 넣어 봉지를 틀어막고 볼록 튀어나온 비닐봉지를 가리키며, 이 안에 공기가 들어가서 이런 모양이 보이는 것이라고…. 유치원에서 배웠다며 딸이 설명을 해줬다.

어른들의 고정관념은 아이들의 무한한 상상력을 당해내기에 버겁다. 아이들의 발전 가능성은 무한하다. 호기심을 갖고 주위를 잘 살피면 뜻하지 않게 유 무형의 having을 얻을 수 있다. 아이들은 고등학교까지 자라오면서 학교와 학원에서 수십 명의 다양한 선생님을 만나고 왔기 때문에 교사만큼 잘 가르치지 못하지만, 교사의 설명을 5분만 듣고 있어도 잘 가르친다 못 가르친다는 평가를 할 수 있는 어린 고수들 앞에서 당당하게 잘 가르치는 교사가 되기 위해 끊임없이 노력해야 한다.

제2부

봉주르, 마담 양!

선생님 닮고 싶어 프랑스어를 전공해요

강민하

고등학교 2학년이 되어 양수경 선생님을 처음 만났습니다. 그 당시에는 제2외국어를 집중이수제로 시행하여 1학기에는 프랑스어 수업을 듣지 않아서 양수경 선생님이 정말 무서운 존재로만 느껴졌습니다. 그때는 선생님이 마냥 무섭게 느껴져 복도에 지나가시면 늘 단정하게 옷을 입고 다니셨던 선생님 앞에서 학생들도 교복을 다시 고쳐 입곤 했던 일이 어렴풋이 기억납니다. 하지만 프랑스 국제교류 활동에 참여하고 양수경 선생님과 많은 시간을 함께하면서 처음 느꼈던 선생님의 모습과는 달리 눈에 보이는 무서운 모습이 전부가 아니라는 점을 알게 되었습니다.

프랑스와의 국제교류를 추진하면서 프랑스에 가기 전에 필요한 기본적인 회화, 준비물, 건강까지 꼼꼼하게 챙겨주셨고, 프랑스에 가서도 예산이 넉넉지 못해 현지 가이드도 없이 우리를 위한 전용 셔틀버스도 없이 버스와 지하철 같은 대중교통을 이용해서 남쪽의 몽펠리에 도시까지 직접 찾아가야 하는 막막하고 복잡한 상황 때문에 불안해하는 저희들을 선생님께서는 하나하나 챙겨주시며 딸처럼 보살펴 주셨습니다. 특히 장 모네 학교와의 국제교류 일정을 마치고 다시 파리로 돌아와 세계인들이 제일 좋아한다는 오르세 미술관을 방문하여 그 엄청난 작품들을 직접 눈앞에서 감상할 수 있는 기쁨을 누렸고 더구나 그동안 우리 단체 학생들을 대중교통을 이용해 지하철을 번거롭게 바꿔 타고 복잡하게 다니게 해서 미안하다 하시면서 미술관 레스토랑에서 직접 식사를 할 수 있게 해주셨습니다. 선생님께서 제가 먹는 모습만 봐도 배부르다고 하시며 선생님의 고기와 빵을 저에게 먹여주셨습니다. 그리고 몽마르트르 언덕 건너편의 브런치 가게에서 빵에 버터를 발라주시면서 선생님의 음식까지 저희에게 나눠주시는 모습에 엄마처럼 다정하고 정이 많으시다는 것을 느꼈습니다.

일정을 진행하시면서 프랑스에서 선생님이 관계자들과 직접 프랑스어로 대화하시는 모습과 엘리제궁에서 만찬 자리에서 문재인 대통령과 프랑스의 마크롱 대통령, 브리짓트 대통령 부인을 비롯한 세계의 각계각층 인사들과 선생님이 대화하시는 모습에 존경심을 갖게 되었고, 제가 선생님 덕분에 이런 자리에 참석할 수 있다는 것에 정말 감사했습니다.

2학기가 되어 선생님의 수업을 들었을 때 학생들을 집중시키는 카리스마와 학생들 한 명 한 명 보살펴 주시는 섬세함에 놀랐습니다. 고등학교에서 학생들을 한 명씩 불러서 부족한 점을 피드백하는 것은 현실적으로 쉽지 않은 방식인데 쉬는 시간까지 교실에 남아 끝까지 질문을 받아주시는 모습에 감동하였고, 프랑스어뿐만 아니라 전반적인 공부 방법에 대해서도 꼼꼼하게 조언해주셨습니다. 수업 방식에 처음 느꼈던 선생님의 느낌과는 다른 모습에 놀랐습니다.

선생님의 다정함은 여기서 끝나지 않았고, 제가 대학진학을 하는데도 정말 많은 도움을 주셨습니다. 원래 저는 프랑스 관련된 학과를 생각하지 않았는데 선생님 덕분에 프랑스에 많은 관심과 애정이 생겨서 대학과 학과도 전부 프랑스 관련된 학과로 적었습니다. 그리고 선생님께서 알려주신 학과에 지원하였고, 그 학과에서 프랑스어를 정말 열심히 배우고 있습니다. 대학교에서 프랑스어를 배우면서 선생님께 배웠던 수업 내용이 떠올라서 선생님이 많이 그립고 보고 싶을 때가 정말 많습니다. 이렇게 선생님은 저의 인생에 많은 영향을 주신 분입니다.

선생님이라는 직업이 정말 잘 어울리시는 선생님이 명퇴하신다는 소식이 정말 낯설고 믿기지 않습니다. 저는 선생님이 퇴직하신 후에도 선생님과 함께했던 순간들이 따뜻하고 소중한 추억으로, 그리고 제 인생에 큰 영향을 준 순간으로 잊지 못할 것입니다. 선생님이 교단을 떠나셔도 저에게는 인생에 큰 영향을 주신 존경하는 선생님입니다.

앞으로 선생님이 건강하시고 행복한 일이 가득하셨으면 좋겠습니다. 그리고 저도 프랑스어를 열심히 배워서 선생님처럼 멋진 사람이 되어 선생님께 부끄럽지 않은 제자가 되겠습니다.

선생님 정말 감사하고 사랑합니다~

대학에 와서도 나는 선생님의 제자

강영아

거실의 시계가 5시를 가리킨다. 슬슬 일어나 스텐 볼에 쌀을 퍼 담고 싱크대에 가서 물을 틀어 쌀을 씻기 시작한다. 쌀을 만지는 기분이 은근히 좋다. 물을 여러 번 바꿔가며 쌀을 씻는다. 그리고 쌀을 씻으며 오늘도 그분을 생각한다.

"얘들아 아주 작은 변화와 노력도 우리 삶에 커다란 의미가 될 수 있는 거야. 선생님이 밥을 하려고 쌀을 씻는데 항상 씻다 보면 쌀알이 몇 개씩 물에 쓸려나가서 이게 참 번거로웠는데, 얼마 전에 볼 가장자리에 아주 작은 구멍이 있어서 쌀은 건져지고 물만 빠져나가는 쌀 씻는 전용 볼을 발견했어! 그게 아주 편하더라~ 사용할 때마다 작은 아이디어인데 참 좋다 느끼면서 쓰고 있어. 뭔가 대단한 걸 하려고 하지 말고 오늘 할 수 있는 것, 작은 것부터 한 번 더 생각하고 조금씩 변화를 주는 거지. 너희도 수능, 입시 이렇게 무거운 주제로 생각하지 말고 오늘 할 수 있는 만큼, 어제보다 조금 더 열심히 그렇게 공부하면 되는 거야."

그 쌀 씻는 볼을 말씀하실 때의 반짝거리는 표정이 강렬하게 생생히 기억난다. 말씀의 의도는 놓치고 그 볼이 엄청 편한가 보다 생각했던 18살의 강영아… ㅎ

그 후로 언제부턴가 볼에 쌀을 씻을 때면 선생님 생각이 자동반사처럼 떠올랐다. 잘 지내고 계시려나 아직도 그렇게 열정적으로 학생들을 돌보시려나 이런저런 생각들.

선생님은 항상 열정적인 분이셨다. 진심으로 수업을 하셨고 진심으로 학생들을 대하셨다. 프랑스어 수업이 끝나면 항상 뭔가 채워진 듯한 느낌에 충만했었다. 채워진 것은 프랑스어 문법 지식일 때도 있었고 18살 소녀들의 영혼일 때도 있었다. 사정이 그러하니 프랑스어 수업이 다른 수업에 비해 우선순위였던 것은 당연했다. 수능이나 입시의 비중으로 따진다면 오히려 소홀할 수도 있는 수업이었는데 우리는 항상 프랑스어 수업을 기다렸고, 진심으로 선생님 말씀을 받아들였었다. 한번은 영어 수업시간에 영어 선생님이 나를 지목하여 교과서를 낭독하게 하셨는데 내가 읽고 나니 반 아이들과 선생님이 깔깔대며 웃길래 무슨 영문인가 하고 어리둥절했었다. 알고 보니 영어지문을 프랑스어 읽듯이 프랑스어 발음으로 당당히 읽었다고 하여 나는 영어로 읽었는데~?! 이상하네, 했던 기억도 있다. 아마 무의식적으로 프랑스어처럼 읽었던 것 같다. 아무 일이 없어도 무슨 심각한 일이 있는 것처럼 느껴지는 예민한 시절, 알 수 없는 갈증을 채워주던 선생님. 선생님의 제자라서 소중한 고등학교 시절이었다.

　　대학에 와서도 나는 선생님의 제자였다. 어느 날 우연히 선생님을 밖에서 마주치게 되었다. 아마 마트 같은 곳이었던 걸로 기억한다. 잘 지내니? 하시길래 곧 어학연수를 갑니다, 했더니 그 자리에서 어학연수를 가기 전 준비할 것과 가서 제대로 공부하는 방법, 외국에서 주의할 것 등을 꽤

　　오랜 시간 자세히 일러주셨다. 그래, 마트가 맞았던 것 같다. 내가 장바구니를 들고 있었던 거로 기억한다. 어학연수 가서 먹을 한국 음식을 사고 있었는데 튜브 고추장과 컵라면보다 더 중요한 가르침을 선생님께 받고 왔었다. 나는 운이 좋은 사람이라고 생각하며 사는데, 지금 돌이켜보니 그날 선생님이 마침 장 보러 오신 그 마트에 내가 가게 된 것도 엄청난 행운이었다. (역시 나는 운이 좋은 편이다. 감사하며 살자.)

다 씻은 쌀을 밥솥에 앉히고 취사 버튼을 눌렀다. 어릴 때는 그저 단순히 우리 선생님 정말 훌륭하시다, 열정적이시다, 멋지시다, 생각했지만 두 아이를 키우며 마흔을 바라보는 나이가 되니 선생님의 열정이, 걸어오신 걸음 하나하나 더 무겁게 다가온다. 이제 와서 보니 모든 일의 중심에 한 사람의 작은 여성이 자리 잡고 있다. 아내, 엄마, 하녀!(하녀라는 표현은 왠지 슬프니 살림꾼으로 바꿔보자) 그래. 아내, 엄마, 살림꾼!

선생님도 가정을 꾸려나가는 엄마이자 아내이면서 학교에서는 해마다 새로 들어오는 학생들의 선생님이셨던 것이다. (과연 남자 선생님들이라면 20년이 지난 후에도 생생히 기억나는 쌀 씻는 볼 얘기를 할 수 있었을까?) 나는 내 아이들의 엄마로서 살기만도 벅차고 어렵다 느낀다. 선생님은 어떻게 학생들까지 그렇게 품어주시면서 살아오신 건지 가슴이 먹먹하다.

선생님!! 감사합니다. 사랑합니다. ♥

교단을 떠나시는 선생님의 발걸음이 편안하고 홀가분하시길 바랍니다. 학교에 있는 동안 그 누구보다 최선을 다해 진심으로 사셨으니 아마 후회 없이 홀가분하시리라 조심스레 추측해봅니다. 이제는 어깨에 무거운 짐 덜어내시고 좀 더 편히 즐기며 시간을 누리시길 바랍니다.

오로지 선생님 때문

공보미

프랑스어를 제2외국어로 선택했던 것은 오로지 선생님 때문이었다. 원래 배우고 싶었던 제2외국어는 따로 있었는데 진취적이면서 카리스마를 내뿜으시는 선생님의 매력에 빠져 전혀 관심에도 없었던 불어를 제2외국어로 선택하게 되었다.

그리고 내친김에 동아리도 프랑스 문화 관련 동아리까지 가입하게 되었다. 선생님은 가입 기념(?)으로 첫 과제를 프랑스 신문 르 몽드(Le Monde)지를 펼쳐 그중 긴 제목의 발음을 가르쳐 주시고 반복하여 발음하게 하신 뒤 개인별 발음을 확인하신 후 우리 모두에게 그 긴 문장을 무작정 외워오라고 하셨다. 프랑스어를 이제 막 배우기 시작할 때라 전혀 뜻도 몰랐지만, 그 긴 문장을 소리 내서 줄줄 유창하게 외웠어야 했는데 한 번에 통과된 친구는 당연히 한 명도 없었다. 잠시라도 머뭇거리면 바로 '탈락!' 이었기에 여러 번의 시도 끝에 성공할 수 있었고 그 문장은 지금도 생각이 나서 줄줄 말할 수 있다. 신기하게도 그 문장을 외운 지 20여 년이 다 되어가는데도 지금 떠올려보면 그 긴 문장이 생각난다. 전교 1, 2등이었던 동아리 친구들조차 선생님 앞에서는 덜덜 떨며 긴장하고 그 문장을 외우고 또 외웠던 기억이 떠오른다. 우리 동아리에서는 프랑스 문화를 조사해서 학교 축제 전시회에 참가했는데 큰 하드보드지에 연구내용을 기록하여 한눈에 보이도록 정리하고 포트폴리오를 만들어 연구물의 구체적인 내용을 수록하였다. 그리고 프랑스 와인과 바게트를 팔고 그 수익금은 전체 불우이웃 돕기에 기증했다. 실제 전시회에는 프랑스인들도 직접 오셔서 학생들과 인사도 하고 불어로 간단한 대화를 하는 등 우리가 그동안 배웠던 불어표현들을 직접 원어민들과 소통했는데 프랑스인을 처음 만난 것도 신기했고 그 사람들과 불어로 이야기할 수 있는 것도 신기했다.

축제 공연 때 우리는 샹송 팀으로 공연무대에 오르기도 했는데 돈은 아끼기 위해 프랑스 전통의상을 나타내는 디자인을 골라 직접 옷을 제작해 프랑스 알프스 소녀를 연상하게 하는 초록, 빨간색 옷을 입고 샹송을 불어 학생들의 엄청난 호응을 받았다. 학생들에게 이런 새로운 경험을 갖게 하시려고 선생님이 얼마나 열정적이었는지 내가 지금 교사가 되고 나니 정말 새삼 다시 그 열정을 느끼게 된다. 입시를 준비하는 고등학교에서, 그것도 대광여고에서 프랑스어처럼 생소한 과목이 하나의 큰 부분이 될 수 있었던 것은 선생님의 역량이 정말 컸다고 생각한다. 고등학교 때 가장 잘한 선택이 '프랑스어 동아리'가 아니었을까 싶다.

대학 입학 시 수능 답안을 20문제가량 밀려 쓰는 황당한 실수로 생각하지 않았던 학과에 갔다. 선생님께서는 그렇게 하향으로 대학을 갈 수밖에 없는 나에게 너는 무조건 거기서 1등을 해서 장학금으로 학교에 다녀야 한다며 1등을 하기 전까지는 절대로 전화를 하지 말라고 하셨다.

안부 전화를 드렸을 때마다 "1등 했어? 안 했어? 안 했으면 1등하고 전화해!"라고 하셔서 정말 전화를 드리고 싶었지만 안타깝게 나의 첫 대학에서 1등을 해본 적이 없고 그렇게 연락을 못 드린 채 대학을 마무리했다. 선생님의 다그침도 이유가 되지만 집을 떠나 서울에서 그렇게 공부에 매진하지 않았다면 지금의 나는 없었을 거다. 그런데 어쩌다 두 번째 대학을 갔고 첫 번째 학기 학교에서 1등을 하자마자 선생님이 생각났다. 고등학교를 졸업한 지 한참이 되었지만, 항상 선생님을 마음속 스승이라고 생각했다. 그렇게 수년이 또 지나 연락이 끊긴 지 한참이 되었는데 다시 선생님이 그리워 혹시나 하는 마음에 대광여고로 직접 전화를 걸어 선생님을 찾았다.

고등학교를 졸업한 지 15년 이상 지난 학생을 기억하실까? 아직 거기 계실까 하며 많이 고민하다 연락해 봤는데 선생님께서는 당연히 기억하셨다! 학창 시절에 특별한 모범생도, 문제 학생도 아닌 보통의 나를 기억해 주는 선생님께 감사드리며 그 인연으로 아직도 연락이 닿을 수 있고 이렇게 퇴임에 앞서 글을 쓸 수 있음에 감사하다.

선생님께서 수업시간에 여담으로 해주셨던 작은 일화들도 떠오르는데 이 정도면 정말 선생님 찐팬 인정!!! 오랜만에 만난 선생님은 예전 모습 그대로이신 데 퇴임을 하신다니 세월이 믿기지 않지만, 지금까지 학교에 남아주셔서 감사드리고 앞으로도 건강한 에너지로 매일 편안하고 행복하시기를 빌어본다.

넓은 세상을 볼 수 있게 인도

김경민

저는 2014년 입학한 제자 김경민입니다. 2015년도에 선생님께 수업을 들었어요.

선생님을 처음 뵈었을 때는 알 수 없는 카리스마에 압도되었어요. 프랑스어라는 생소한 학문도 겁이 났고 왠지 모를 선생님의 포스가 느껴졌죠. 매 수업 선생님은 수업 시작 전 5분씩 일찍 오셨어요. 수업 전 모든 학생이 줄을 서서 프랑스어 암기시험을 봤는데 저는 그때마다 정말 떨렸어요. 프랑스어를 스파르타로 가르치시는 무서운 호랑이 선생님이라고만 생각했거든요. (그래서인지 아직도 대광여고 졸업생들은 프랑스어를 전공으로 하지 않아도 줴 말 알라 떼뜨 (J'ai mal à la tête.) 같은 기본적인 회화는 다들 아직도 기억해요^^)

그런데 어느 날 선생님께서 저를 지목해서 일어나서 본문을 읽어보라고 하셨어요. 저는 큰일 났다고 생각하며 어려운 발음들도 더듬더듬 배운 대로 읽어 내려갔어요. 혼날 줄로 생각하던 차에 선생님께서 처음으로 잘했다고 칭찬을 해주셨어요. 그리고 친구들도 저에게 잘 읽는다며 손뼉을 쳐주었어요. 저는 선생님께서 해주신 칭찬이 오래도록 기억에 남았어요.

꿈도 없고 희망전공도 없이 졸업만을 바라던 저에게 처음으로 프랑스어에 대한 마음이 열린 수업이었죠. 이후에 고3이 되어서 대학 원서를 쓸 때 저는 프랑스학과를 지원하게 되었고 1년 만에 떨리는 마음으로 선생님을 찾아갔어요. 그때 선생님께서 저를 웃으며 반겨주시며 면접과 앞으로 프랑스학과에 대한 전망, 그리고 프랑스어 공부 방법을 하나하나 알려주셨어요. 정말 저는 선생님 덕분에 대학에 갈 수 있었다고 생각하고 감사하고 있어요. 지금은 교환학생 프로그램을 통해 파리에서 공부하고 있는데 넓은 세상을 볼 수 있게 인도해주신 양수경 선생님께 항상 감사드려요!

선생님을 보며 항상 배우는 점은 매사에 끝까지 최선을 다하는 것이었어요. 사람들이 어떻게 가치를 매기는지에 집중하지 않고 작은 일이라도 나에게 중요한 것들을 끝까지 최선으로 대하는 것을 배웠습니다. 선생님께서 명예퇴직 하신다는 소식을 듣고 언제까지나 교단에 계실 것만 같았기에 아쉬운 마음이 컸습니다. 그러나 또 한편으로는 교단 밖에서 선생님이 해나가실 일들이 기대되기도 합니다. 선생님께서는 직업으로서 교사가 아니라 늘 삶으로 보여주신 선생님이셨기에 직업에 구애받지 않고 더 많은 비전을 꿈꾸신다는 걸 느낍니다. 항상 응원해드리고 싶고 또 배우고 싶습니다. 선생님 언제나 사랑하고 존경합니다. 그동안 정말 감사하고 고생 많으셨어요.

시골 학생의 버거운 도시 교육

김래기

　시골에서 나고 자라 중학교까지 마치고, 도시의 고등학교, 그것도 전혀 경험하지 못했던 방식의 교육이 있는 그곳에 적응하기는 쉽지 않았다. 그래도 여러 곳에서 모인 친구들과 지내는 것은 새롭고, 신나고, 즐거움으로 다가왔지만 다양한 과목과 담당 선생님들의 교육방식과 철학들을 따라가기란 쉽지 않았다. 거기에 정말 생소한 언어를 습득해야 하는 건...

　프랑스. 참 아름다운 이름. 그저 한 번 정도는 가보고 싶은 나라. 그런 나라의 언어는 그저 듣기는 아름다웠지만, 이걸 시험을 위해 배워야 하는 건 정말 고역이었다. 그리고 그 과목을 담당하시는 선생님은 왜 그리도 깐깐하시고 철저히 가르치시는지. 양수경 불어 담당 선생님. 아고 고. 범접할 수 없는 카리스마. 정말 까다로울 것만 같은 인상은 시골에서 마냥 선생님들과 허물없이 지내며 늘 상 칭찬만 듣던 나로서는 선생님은 정말 어려운 분이시구나 하는 생각만 들게 했던 것 같다. 긴장의 연속. 불어 수업시간이면 시작 5분 전부터 동사 변화나 여러 가지 암기사항을 복도까지 들릴 정도로 외우고 있어야 수업도 우선은 무난히 시작할 수 있었다. 그때는 늘상 겁이 났다. 수업 중에도 오늘은 제발 나에게 질문이 돌아오지 않길 바라며 조마조마 긴장하며 50분의 시간을 보냈던 것 같다. 그런데 그 선생님을 졸업 후 25년이 지나 만나게 되었다. 어찌나 반갑던지.

　날 기억해 줄 선생님들이 한 분도 계시진 않을 거로 생각했지만 그

다지 개의치 않았다. 그저 지난날 학창시절의 선생님들과 친구들이 많이 그리웠나 보다. 그렇게 만난 선생님들의 모습은 같이 나이 들어가는 언니, 오빠들처럼 친근하게 다가왔고, 특히나 그 무섭게만 여겼던 양수경 선생님은 정말로 반갑고, 정겨운 모습이었다. 여전히 열심히 후배들과 프랑스와의 국제교류라는 굉장한 업적(?)까지 이루며 끊임없이 일하시는 모습이 정말 대단했다. 와~ 내 선생님이 이런 일도 하시는구나 하며 참말로 자랑스러웠다.

그런데 벌써 학교를 떠나신다니 참 시간이 너무 빠르다. 그렇긴 하지. 벌써 나도 졸업한 지 30년. 선생님도 37년을 교정에서 학생들을 위해 달리셨는데 너무 아쉬움만 남는 듯하다. 내 마음이 이럴진대 선생님의 마음은 어떠할까. 하지만 아직도 하고 싶은 것이 많고 계획도 많으신 선생님. 그저 남은 시간을 버리지 않을 것을 알기에 또 다른 인생의 시작에 박수를 보내며 화이팅을 외쳐본다.

그리고 다시 한번 정말 수고 많으셨고, 감사의 인사를 보낸다. 늘 건강하시며 선생님의 능력을 하시고 싶은 일을 해나가며 즐거운 인생을 보내시길 기도해 본다.

선생님의 영원한 '내 새끼들'

김민성

사랑하는 양수경 선생님. 민성입니다.

2008년에 대광여고에 입학하여 선생님을 처음 뵈었을 때가 생각납니다. 선생님은 항상 카리스마 있는 모습이셨지만 누구보다 자애롭게 저희를 대해주셨습니다. '내 새끼들'이라고 지칭하시며 선생님의 본분이상으로 학생들을 사랑하시는 모습이 좋아 알게 모르게 소속감이 들었고 선생님의 '내 새끼'가 되고 싶다는 생각을 했었습니다. 생소하기만한 불어라는 언어를 선택하게 된 이유에는 불어 자체의 매력도 분명 있지만, 선생님이 가르쳐주시는 불어 수업을 듣고 싶었던 마음이 컸던 것같습니다.^^

졸업 후 불어와 관련된 전공을 선택하진 않았지만, 감사하게도 선생님과의 인연이 이어졌습니다. 학교에서 학업의 길라잡이가 되어주셨던 선생님은, 사회에서 인생의 길라잡이가 되어주셨습니다. 광주를 떠나 타지에서 공부하는 수험생일 때, 저는 공부뿐 아니라 반복되는 일상에 지쳐있는 상태였습니다. 선생님이 제가 있던 곳까지 종종 찾아와주셨고 힘들었던 수험 기간에 선생님과 일상적인 이야기를 나누며 잠시나마 고등학생으로 돌아가는 기분을 느낄 수 있었습니다. 타지에서 혼자 생활하는 제가 신경이 쓰이셨는지 '민성아, 오늘 날씨가 많이 춥구나. 감기 조심하렴!' 이따금 따뜻한 문자를 보내주시곤 하였습니다. 왠지 그런 날에는 위로받는 기분이 들어 하루를 힘차게 보낼 수 있었습니다.

어느새 시간이 흘러 직장인이 되었을 때도 선생님은 항상 제 곁에 계셨습니다. 학생일 때와는 대화 주제가 사뭇 달라졌고 선생님의 인간적인 면모를 볼 수 있었습니다. 사회생활의 꿀팁 전수, 사제지간을 벗어나 조금 더 친밀한 관계가 된 듯한 느낌이었습니다.

이 글을 쓰면서 선생님은 어떤 사람이시지? 생각해 봤습니다. '심지가 곧은 사람' 이 말이 가장 먼저 떠올랐습니다. 사회생활을 해보니 '선생님 같은 분'을 만나는 것이 쉽지 않았습니다. 저도 누군가 저를 떠올렸을 때 흔들리지 않는 뿌리가 깊은 사람이었으면 합니다. 제 옆에 바람이 일 때 선생님의 모습을 떠올리곤 합니다. 고등학교를 졸업한 지 십여 년이 지났지만 아직 선생님과 인연을 이어나갈 수 있음에, 또한 선생님이 교단을 내려오시는 마지막 순간에 이런 글을 남길 수 있음에 감사합니다. 37년간 저를 포함한 수많은 학생에게 베풀어주신 지식과 지혜 잊지 않겠습니다. 선생님 사랑합니다.

'와, 통했어?!'

김보미

양수경 선생님께,

고등학교 입학 한 지 벌써 20년이 되었네요. 영원한 불어부장 보미에요~

여고시절 유럽, 프랑스라는 그 자체의 감성에 매료되어 고민도 없이 불어를 선택했습니다. '불어 어렵다. 선생님 너무 무섭다더라.' 등등 무성한 소문에도 아랑곳하지 않았습니다. 요즘도 여전히 주변에서는 '불어 배워서 어디에 쓰지?' 하고, '너의 직업이나 되니 그렇겠지.' 하며 그 가치를 모르는 사람도 많습니다. 하지만, 이 글을 읽는 후배님들 중에 혹시나 흔히 알려진 패션, 요리 분야 외 저처럼 해외사업 분야 관심이 많으시다면, 꼭 꾸준히 공부하길 바란다고 말해주고 싶습니다. 언젠가는 분명히 스스로를 빛나게 도와줄 것이라 생각하기 때문입니다.

입시 준비 중이던 어느 날, 불문과에 가고 싶다며 선생님께 어떤지를 여쭤보았습니다. 그런데 너무 단호하게 '우선 밥 먹고 살려면 영문과를 가고, 그 후에 불어는 배워도 돼.'라며 저에게 고민 없이 영문과를 가라고 하셨던 기억이 납니다. 그래서 전 영문과에 진학하게 되었지만, 만약 다시 저에게 기회가 온다면 저는 프랑스어과를 선택할 것 같습니다. 어차피 영어는 해야만 하는 언어이기 때문입니다.

여행을 무척이나 좋아하는 저는 여행과 출장으로 전 세계 약 38개국 정도를 가보았습니다. 짧게나마 배운 불어를 써먹을 첫 기회는 졸업하고 2년 후, 제가 영국에서 지내던 2006년이었습니다. 한국에선 평소에 쓸 일이 없어 잊고 지냈는데, 영국에서 만난 프랑스 친구들, 스위스 로잔에서 온 친구들과 각별하게 친하게 지내게 된 계기가 되었습니다. 덕분에 혼자 스위스 여행을 남들과는 조금은 다르게 할 수 있었습니다. 스위스 친구의 가족과 첫인사를 나누던 날, 불어로 짧은 자기소개를 했더니 무척 좋아하셨고, 머무르는 동안 정말 잘 해주셨습니다. 덕분에 로잔 주변 지방, 제네바, 몽트뢰, 시옹 외 작은 그뤼에르 마을까지 차로 편하게 여행을 했습니다.

저의 첫 파리 여행 중, 지하철에서 일행과 떨어져 앉아있던 저에게 낯선 프랑스 남자가 자리를 바꾸어 주겠다고 했습니다. 순간 저도 모르게 튀어나온 불어 한마디 아직도 생생합니다. 아주 자연스럽게 'Je ne veux pas.'라고 대답했고, 그는 바로 알아듣고 웃었습니다. 일행과 장난치던 상황까지 쭉 옆에서 보고 있었기에, 제가 저렇게 말한 저의 장난 섞인 의도까지 다 파악한 그분의 눈빛. 순간 저는 '와, 통했어?!' 하는 그 짧은 순간의 짜릿함을 잊지 못하는 것 같습니다.

지금 생각해 보면 선생님께서 가르쳐 주셨던 방법이 아마 그 순간을 놓치지 않고 튀어나오게 했을지도 모른다는 생각이 듭니다. 수업시간마다 틀릴까봐 마음 졸이며 외웠던 디알로그들, 숫자, 단어, 시장에서 물건을 사고, 택시 타기와 같은 상황 표현들이 저도 모르게 머릿속에 자리 잡고 있었나 봅니다. 평소엔 생각지도 못한 표현이나 단어들이 적절한 순간에 튀어나왔으니, 그 순간 저 자신이 어찌나 대견했는지……
칭찬해~

영어로 스스로 밥벌이를 할 수 있는 직업을 갖게 했다면, 불어는 향후 저라는 사람의 평판을 한층 올라가게 해주었습니다. 저는 대학 졸업후, 보건의료 분야에서 다양한 국가의 해외사업을 맡아 진행해왔습니다. 중소기업에서 해외 보건의료 사업 분야에 약 10년간 일하면서, 주로아프리카, 중남미, CIS, 아시아 국가들과 프로젝트를 진행했고, 한 달에네 번뿐인 주말 중에 세 번은 비행기 안이나 타국에서 보냈던 것 같습니다. 모든 프로젝트 규모가 컸기 때문에 매출장마다 내로라하는 국내, 해외기업 직원들과 동반 출장은 피할 수 없었습니다. 주로 각국의 보건부장·차관이나 고위인사들과 회의와 협상을 하기 위해 수없이 출장을 다녔습니다.

나중에 알게 된 사실이지만 아프리카에는 유럽국가의 펀드로 장학금 지원, 학교 시설, 인프라 구축 등 많은 지원이 있었고, 공부 좀 한다고하는 분들은 벨기에, 프랑스, 영국, 스웨덴, 독일 등등 유럽국가의 장학금을 받고 유학을 다녀오신 분들이 정말 많았습니다. 그분들과 일을 하다 보니 불어를 조금 아는 것이, 제가 그 프로젝트에서 꼭 필요한 사람이 되도록 하는 데에 매우 도움이 되었습니다.

공식적인 회의 석상에서는 영어를 쓰지만, 사적인 대화를 할 때는불어를 사용하시기도 해서, 첫 말을 떼고 다가가기에 좋은 계기가 되었습니다. 그 후 프로젝트가 진행될수록 공식 회의 석상에서 제 자리는, 첫 회의엔 맨 끝이나 겨우 한쪽에 배석할 수 있었다면, 두 번째 회의부터는 회사 대표로서 참석하여 의장이 제일 잘 보이는 자리, 그리고 마지막 회의는 의장의 옆자리가 되었습니다. 그리고 매번 회의에 꼭 참석해야 하는 담당자가 되어, 회사 내 입지도 좋아지고 초고속 승진도 하게되었던 것 같습니다.

제가 담당했던 나라 중 특히 불어를 제1언어로 사용하는 나라에서 일하던 때 선생님께 큰 도움을 받았습니다. 중앙 정부에서는 항상 불어로 모든 문서와 이메일 등을 보내왔고, 영어로 문서를 번역하여 받기엔 시간이 너무 오래 걸렸습니다. 그렇지만 사업이 중요한 만큼, 회사의 관심도도 높았습니다. 밤낮없이 메일로 공문이 오면, 무슨 내용인지를 바로 보고 해야 했던 중요한 때에, 선생님께서 늦은 시간에도 서류를 보는 것을 도와주셨습니다. 선생님의 영원한 제자가 될 수밖에 없는 이런 선생님의 진심이 듬뿍 담긴 무한한 사랑을 다시 한번 느낀 순간이었죠!

하루는 보건부 장관 주최 회의에 참석하게 되어, 불어로 제 소개 및 인사를 하고, 앞으로 진행될 발언은 영어로 해도 되는 먼저 양해를 구하고 시작했습니다. (이것도 선생님께 배운 팁입니다) 그렇게 시작된 회의에서는 장관님께서 특별히 관심을 가져주셨고, 다른 참석자들까지 모두 제 발표와 진행에 집중해주었습니다. 그 회의를 마치고 함께 참석했던, 타사 직원분들께서도 놀라셨는지, 불어는 언제 배웠는지 물으시며, 칭찬을 많이 들었던 기억 납니다.

불어와 영어를 다 할 때, 가장 큰 장점은 다른 언어는 쉽게 느껴진다는 사실입니다. 잘못하는 저도 그런데, 불어를 잘하시는 분들은 아마 더 느끼실 것이라고 생각합니다. 같은 라틴어 계열의 알파벳을 쓰는 스페인어, 이탈리아어와 같은 언어들이 특히 저에겐 그랬습니다. 인사말이나 겨우 아는 제 눈에 스페인어 서류가 대충 이해가 되고, 대면 회의에서 눈치껏 이해한 것은, 알고 있는 불어와 영어 단어들로 추측할 수 있기 때문이었습니다.

선생님께서 근무하신 37년에 비하면 너무도 짧지만, 제가 온 에너지를 다 쏟아부었던 10년간의 회사생활을 건강상의 이유로 접고, 최근 새로운 직업을 가지게 되었습니다.

현재 저는 아이들에게 영어를 가르치고 있습니다. 어느 순간 저도 모르게 불어 시간에 선생님께 배운 방법으로, 영어를 가르치고 있어서 놀라곤 합니다. 그리고 그것이 지금의 아이들에게도 효과가 있다는 것에도 두 번 놀랍니다. 좋은 교육을 받아본 사람이, 잘 가르쳐 줄 수 있다고 선생님께서 말씀하셨습니다. 저는 쉽게 시작한 아이들을 가르치는 직업이, 점점 저에게 큰 무게로 다가오던 즈음에, 선생님과 이야기를 나누고 흐려지던 소명의식을 되찾게 되었습니다.

벌써 스승과 제자 사이로 만난 지 20년이 되었습니다. 언제 이렇게 시간이 지났는지, 다시 생각해 보니 선생님과 이제는 수다를 떠는 주제가 달라져 있다는 것을 느낍니다. 월급쟁이의 고민, 사회생활에서의 고민, 건강에 대한 고민, 서로의 관심사와 취미 생활, 그간의 힘들었던 시간을 회복하는 방법과 앞으로 어떤 인생을 살아야 할지에 대한 고민까지…… 15년 만에 귀향하여, 먼저 연락드릴 용기가 없어 머뭇거리고 있었던 저에게 선생님께서 먼저 안부와 함께 은퇴 소식을 알려주셨습니다. 제가 힘든 시간을 보내는 동안 선생님께서는 더 힘든 시간을 보내셨다는 걸 알았고, 그 시기에 제가 힘이 되어드리지 못한 것이 너무 죄송스러웠습니다. 그러나 선생님께서는 저의 마음을 먼저 봐주시고, 위로와 격려를 아끼지 않으셨고, 그 따뜻한 마음에 눈물이 참 많이 났습니다.

선생님을 만난 수많은 제자 중에 제게 부족한 글이나마 바칠 기회를 주셔서 감사합니다. 앞으로도 선생님과 오래도록 함께 수다 떨고, 약속대로 언젠가는 꼭 모시고 아프리카 여행을 가고 싶습니다. 그날까지 건강하세요!

끈을 놓지 않고

김서현

제2외국어로 독어와 불어 중 고민 없이 불어를 선택했습니다. 불어에 매력을 느껴 잘하고 싶다는 욕심은 있었지만, 처음에는 어려운 언어였기에 점수는 아래에 있었고 점차 흥미도 잃어갔습니다. 그러나 선생님의 즐겁고 명확한 수업에 불어에 끈을 놓지 않았고 결국 전대 불문과에 진학하여 이렇게 지금까지 인연이 되었습니다.

가끔은 수업하실 때 무서울 때도 있었지만 정말 따뜻하시고 제자들을 사랑하시며 가르치시고자 하시는 열정은 그 누구보다도 강하신 분이시라는 것을 알기에 존경하고 지금까지 인연이 닿았던 것 같습니다. 교직을 떠나시지만, 우리의 마음속에는 영원히 가장 존경스러운 선생님으로 남아 계실 겁니다. 선생님, 사랑합니다.!!!

Le Pont Alexandre Ⅲ (알렉산더 3세 다리)

김세미

선생님 안녕하세요. 세미예요. 2013년도에 대광여고를 졸업하고 프랑스에 온 지도 8년이 넘어가네요. 선생님을 만난 게 십 년이란 시간이 더 지났나 봐요. 선생님께 불어를 처음 배우던 때가 아직도 생각이 많이 나요. 선생님의 열정적인 수업에 프랑스어 시간은 예술을 공부하고 싶었던 저에겐 항상 뭔가 꿈을 꾸게 해주는 시간이었어요!.

언어 뿐만이 아니라 프랑스의 문화 및 다방면의 프랑스의 모습을 저희에게 보여주시고 가르쳐 주시면서 항상 저희에게도 가능성을 이야기 해주셨었죠, ㅎㅎ 덕분에 저는 그 가능성을 보고 프랑스에 와서 제가 원하는 공부도 하고 그리고 여전히 저의 꿈을 따라서 살고 있어요.

고등학교 2학년 때부터 유학 결심을 하고, 준비를 하면서 선생님이 제게 큰 힘이 되었어요. 수줍은 성격에 선생님께 처음 상담 받으러 갈 때가 제겐 큰 용기가 필요 했는데, 조언도 많이 해주시고, 아무도 모르는 타지에 그것도 외국 프랑스에…. 고등학교를 막 졸업한 어렸던 저에겐 모든 게 어려웠는데, 프랑스에 너희 선배가 있으니 연락해 보라며 연락처도 건네 주셔서 너무 감사했어요. 기억나시려나요 하하.선생님과는 졸업을 하고 프랑스에서 더 많이 만났던 거 같아요.

맨 처음에 선생님께서 오셨을 때가…. 다른 선생님들이랑 연수차 오셨던 거로 기억해요. 제가 막 지방에서 언어연수를 마치고 전공 공부를 하러 파리에 왔었을 때 쯤 이었던 거 같아요. 그때 연수 지도해주시던 프랑스분과, 한국에서 오셨던 선생님들과 함께 하루 정도 파리 관광을 같이 했었는데 이미 여러 번 오셨을 프랑스 그리고 파리이겠지만 선생님은 안내해주시던 프랑스분께 쉴 틈 없이 질문을 던지며 끊임없이 배우고자 하시는 모습이 너무 멋졌어요.

또 그 후에는 프랑스에 있는 지방의 고등학교와 자매결연을 맺는데 성공하셔서 후배들을 데리고 프랑스에 오셨죠. 몇 년 전 계획을 이야기하시며 너희 후배들도 프랑스에 꼭 데려오면 좋겠다 하셨는데, 두 번째 프랑스 방문 땐 한국 프랑스 대통령 만찬 자리에도 초청을 받아서 아이들에게 잊지 못할 추억도 선물해 주시고 정말 대단하다는 말 밖에 나오지가 않아요.ㅎㅎ

선생님, 그동안 이렇게 많은 일들이 지나갔네요. 제가 선생님을 존경하는 이유는, 선생님은 몸소 실천해서 저희에게 항상 보여주셨고, 무슨 일이 있을 땐 , 저희를 나무라기보단 저희를 먼저 걱정해주시는 제자를 정말 생각하고 아끼는 마음이 와 닿아서 였던거 같아요. 물론 너무 멋진 수업은 말 할 것도 없구요. 음! 양수경 선생님이 없을 대광여고를 생각하니 너무 허전한 느낌이 드네요. 무엇보다 선생님처럼 대단한 불어 선생님께 불어를 배울 수 있었다는 건 제게 정말 행운이었고, 이제 그 수업을 못 들을 후배들을 생각하면 아쉬움이 크네요.

코로나 이후로 여행이 힘들어져서 선생님을 못 본지도 몇 년이 되었네요.선생님과 제가 가장 좋아하는 알렉산드르 3세 다리(Pont Alexandre Ⅲ) 아래서 햇살 좋은 날 커피 마시던 날이 많이 그리워요.하지만 선생님은 또 조만간 파리에 짠 하고 나타나 "세미야 나 몽

빠흐나스 (Montparnasse) 옆에 있는 호텔이거든? 한 시간 뒤에 보자"
할 것만 같아요. ㅎㅎ
언제든지 환영입니다!
나중에 오시면 이번엔 제가 꼭 맛있는 식사 대접할게요.

마지막으로 선생님 그동안 수고하셨습니다.
항상 감사하고, 존경하고, 사랑합니다.
김세미 올림.

Chanson과 Baguette와 Vin

김소은

선생님께서 불어 수업시간에 흥미롭고 열정적으로 불어를 가르쳐주셔서 몰입하여 학습했던 기억,

불어 교과서의 문장들을 외우고 교무실에서 선생님 앞에서 외우고 확인해주셨던 기억,

특별활동을 불어반을 선택하여 델프 시험을 준비하고 시험을 적극적으로 봤던 기억,

축제 때 친구들과 샹송을 부르고 율동을 했던 기억,

전시회에서 바삭하고 부드러운 바게뜨를 판매한 기억,

보졸레 누보 축제 때 알리앙스 프랑세즈에서 처음으로 와인을 마셨던 기억들이 생각납니다.

선생님께 불어를 배우며 열정을 갖고 꿈을 향해 나아갈 수 있었고 고등학교 2학년 때의 행복하고도 치열했던 기억들로 남아있습니다. 인생에서 힘들고 지칠 때 헤쳐 나갈 에너지와 따뜻한 격려를 해주셔서 참 감사드립니다.

선생님! 존경합니다.

응원 한마디

김승정

고등학교 2학년 때 시험에 대한 부담감으로 지치고 힘들어 자신감이 많이 떨어져 있는 상태였는데 그때 선생님께서 제 플래너에 응원의 글을 써주셨습니다. 그 글을 보면서 힘을 많이 받아 열심히 공부할 수 있었습니다.

또 고등학교 3학년 때 자습을 하다가 잠시 쉬기 위해 교실 밖으로 나왔는데 위층에서 피아노 소리가 들렸습니다. 소리가 좋아서 들리는 곳으로 가보았더니 양수경 선생님께서 텅 빈 학교 강당에서 혼자 피아노를 연주하고 계셨습니다. 피아노를 좋아했던 저는 홀린 듯이 선생님의 피아노 연주를 감상했습니다. 그때 선생님께서 저를 보시곤 같이 연주하자고 하셨습니다. 처음에는 선생님과 함께 연주하는 게 살짝 긴장됐지만, 선생님께서 친절하게 멜로디를 알려주시고 제 멜로디에 맞춰 반주를 쳐주셔서 금방 긴장이 풀렸고, 재미있게 연주할 수 있어서 즐거웠습니다. 이제 학교에서는 뵐 수 없다는 게 아쉽지만, 언젠가 꼭 다시 뵙고 싶습니다! 항상 누구보다 열심히 저희를 가르쳐주셔서 정말 감사했어요. 명퇴 축하드립니다!!

S'il vous plaît!

김우경

Ma première et dernière professeur de français!.

정신없이 살다 보면, 오늘 날짜가 어떻게 되는지, 하다못해 올해가 몇 년도인지 잊고 살 때가 많습니다. 그 와중에 선생님께서 먼저 새해 복 많이 받으라고 덕담 문자를 보내주셔서 얼마나 반가웠는지 모릅니다.

벌써 학교를 졸업한 지 올해 10년째입니다. 추억 속의 대광여고는 공부하느라 치열했지만, 친구들과 선생님들과 함께 보냈던 즐거운 기억이 더 많습니다. 지금은 어떠할지 모르지만, 식사시간이면 반에 옹기종기 모여앉아 밥을 먹던 시간들, 쉬는 시간에 앞 잔디밭에서 배드민턴 치던 시간들, 함께 야자하던 시간 등 모두 떠올리면 웃음이 나오는 기억들입니다.

제가 고등학교 다니면서, 선택을 가장 잘했다고 생각했던 수업이 있다면 그건 바로 프랑스어 수업입니다. 처음 프랑스어와 일본어 수업을 선택할 때만 해도 사실 일본어는 잘하는 학생들이 많기 때문에, 둘 다 처음인 저는 차라리 어려운 프랑스어를 선택하자는 마음으로 신청했었습니다. 하지만 첫 수업을 듣고 난 후 제 마음은 프랑스어에 모두 뺏겨버렸습니다. 선생님께서 너무나도 세련된 발음으로 프랑스어를 읊어주시는 모습이 정말 멋있었습니다. 프랑스어가 어렵긴 했지만, 선생님께서 이해되게 잘 가르쳐주셔서 하루 중에 프랑스어 숙제를 하는 시간이 가장 즐거웠습니다.

공부하면서 늘 다음에 꼭 써먹어야지 다짐했었는데, 대학교 1학년 유럽여행으로 간 파리에서 꿈을 실현할 수 있었습니다. 파리에서 영어로 의사소통이 잘되지 않았고, "excuse me.."라고 하면 모두 쌀쌀맞게 지나가기 일쑤였습니다. 하지만, 프랑스어 수업시간에 수도 없이 발음했던 "S'il vous plaît"를 말하면, 모두 눈이 커진 채로 멈춰 서서 친절하게 길을 가르쳐주었던 웃픈 기억이 있습니다.

저의 프랑스어 배움의 처음이자 마지막이 되어주신 양수경 선생님. 늘 감사드립니다. 졸업하고서 1~2년 정도는 꾸준히 연락드렸었는데, 그 뒤로는 해마다 수많은 졸업생이 생기다 보니 기억 못 하시면 어떡게 하지라는 마음에 연락을 못 드리게 되었습니다. 하지만 이런 저의 걱정이 무색하게 늘 반갑게 연락해주시고, 안부 물어봐 주셔서 너무 감사드립니다. 선생님께서 교단을 떠나신다는 것이 아직도 믿기지 않지만, 앞으로 더 행복한 제2의 인생이 열릴 그것으로 생각합니다. 저에게 프랑스어라는 특별한 추억을 선물해주셔서 감사합니다. Merci beaucoup!!

'이 똥강아지야'

김의연

저는 양수경 선생님의 제자이자 대광여고 2015년 졸업생인 김의연입니다.

선생님께서 교직 생활을 조금 일찍 정리하기로 하셨다는 소식을 듣고 어느새 세월이 그렇게 됐나 싶었습니다. 앞으로는 대광여고에 찾아가도 선생님을 더는 뵐 수 없게 된다는 사실이 매우 아쉽지만, 존경하는 선생님의 명예로운 퇴직을 기념하는 이 프로젝트에 참여하게 되어 참 기쁘고, 감사합니다.

우선, 양수경 선생님을 만나게 된 계기부터 이야기를 시작해볼까 합니다. 저는 프랑스어에 대한 막연한 호감을 느낀 학생이었습니다. 비록 프랑스에 대해 아는 것이라곤 '먼나라 이웃나라'의 내용과 프랑스 노래 몇 곡, 프랑스 영화 몇 편밖에 없었지만, 프랑스는 제게 형용할 수 없는 매력을 상징했습니다. 그래서인지 저는 제2외국어 과목으로 아무런 망설임 없이 불어를 선택했습니다. 불어 선생님은 멋진 분이다, 수업을 잘하신다, 하지만 수업 따라가기는 정말 힘들다, 각오하고 가야 한다더라, 하는 말들을 여기저기서 들은 적이 있던 터라 걱정되는 한편 설레기도 했던 것 같습니다.

드디어 만나 뵙게 된 선생님은 듣던 대로 정말 매력적인 분이었습니다. 분명 무섭고, 시키는 것도 많고, 잘못을 저지르면 매섭게 혼낼 것 같은 분인데 이상하게 너무 끌리고 재밌고 좋고 무엇보다 선생님께 너무너무 인정받고 싶은 마음이 들었습니다. 아마 다른 학생들도 전부 비

숫한 마음이었던 것 같습니다. 저를 비롯한 모두가 일주일에 몇 번 없는 불어 수업을 손꼽아 기다렸고, 불어 수업을 위해 꾸준히 시간을 투자하며 불어에 대한 열정을 보였습니다. 왜 그랬던 건지 생각해 보니 크게 두 가지 이유가 있었습니다.

먼저, 선생님 자체가 엄청난 매력을 지닌 분이었습니다. 양수경 선생님께서는 교사로서뿐만 아니라 한 사람으로 바라봤을 때도 '참 닮고 싶다'라는 마음이 들게 하는 비범한 면모가 있으십니다. '카리스마'라는 단어가 참 잘 어울리시는 분이며, 칼 같은 완벽함과 엄격함을 보이시면서도 적시에 따뜻한 격려의 말을 건네서 학생들이 정신 못 차리고 빠져들 수밖에 없게 하는 '츤데레' 선생님이셨습니다. 저는 선생님 같은 흡인력을 지닌 사람을 그전에도 보지 못했고, 졸업 이후에도 만나본 적 없습니다. 지금까지도 저는 선생님을 정말 유일무이하신 분이라고 생각하고 있습니다.

그리고 저는 선생님의 모습에서 자존감이 높고 똑 부러지고 스스로에 대한 자신감이 있으며, 어떤 상황에서든 당당하게 할 말을 하고 주변 사람들에게 자연스럽게 존중을 요구하는 권력자의 이미지를 연상했나 봅니다. 고등학교 졸업 후 지금까지도 저는 일상 속에서 선생님 생각을 하고 선생님이 저라면 어떻게 하실지 생각합니다. 연애할 때, 사회생활할 때, 인간관계 속에서 누군가에게 만만하게 보이고 싶지 않을 때, 현명하고 신중하게 대응하고 싶을 때, 스스로 존중하는 선택을 내려야 할때 저는 가끔 '양수경 선생님이라면 어떻게 하실까'를 기준으로 삼아 행동하곤 합니다. 얘기하고 보니 쑥스럽지만, 그만큼 선생님은 제게 참 멋지신 분으로 기억 속에 강렬하게 남아계십니다. 다양한 상황 속에서 제 마음속 단호함과 당당함의 지표가 되어주셔서 감사합니다, 선생님.

또한, 선생님께서는 제자들에 대한 마음이 참 따뜻하신 분입니다. 선생님께서 '똥강아지'라는 애정어린 별명으로 저를 불러주실 때마다 저는 왠지 선생님의 애제자로 인정받는 듯한 뿌듯함을 느꼈습니다. 중등교사 임용시험에 합격하고 선생님께 오랜만에 합격 소식이 담긴 메시지를 보내자, 바로 제게 전화를 걸어 '야 이 똥강아지야'라는 첫마디로 축하해 주신 선생님의 목소리가 너무 익숙하고 반가워서 마음이 벅찼던 기억이 납니다. 앞으로도 계속 똥강아지라 불리고 싶습니다.

두 번째는 수업에 대한 엄청난 열정입니다. 선생님의 수업이 특별하다는 것은 학생 때도 막연하게 느끼고 있었지만, 저는 교사가 되고 나서야 이 점을 더욱 크게 깨닫게 되었습니다. 직접 교사 입장이 되어 학교생활을 해보니, 양수경 선생님처럼 수업하는 게 얼마나 대단하고 멋지고 놀라운 일인지 뼈저리게 느껴집니다. 바쁜 업무 속에서 수업에 대한 고민을 거듭하며 학생들에게 다양한 경험을 선물해주려 하는 것 자체가 절대 쉬운 일이 아니었습니다. 더군다나 선생님께서는 수업을 탄탄하게 구성해 수업 흐름을 꽉 잡고 계속 긴장감과 재미를 동시에 선사하며, 한편으로는 확실한 기본기를 강조하고 반복적인 연습으로 학생들이 매 수업에서 많은 것을 얻어가게끔 하셨습니다. 양수경 선생님은 이렇게 체험과 지식전달 중 어느 쪽에도 치우치지 않는 완벽한 수업을 통해 저희에게 진정한 배우는 즐거움이 무엇인지 가르쳐 주셨습니다. 한 언어를 가르치며 모든 학생에게 그렇게 큰 흥미와 의욕을 불러일으킬 수 있다는 일은 엄청난 일이라고 생각합니다. 그 시절 열심히 '아베쎄데'를 외우고, 루브르 박물관에 가는 길을 암송하고, 일상 속 사물들을 불어로 뭐라고 하는지 배우고, 불어로 쓰여진 메뉴판과 편지들을 보고, 평소 좋아하던 프랑스 영화에 대한 발표 자료를 준비하고, 무슨 뜻인지 모르던 불어 노래 가사를 해석하며 기쁨을 느끼던 경험이 있기에 지금도 언젠가는 꼭 불어를 다시 열심히 공부해보고 싶은 마음이 듭니다. 그리고 저도 저의 제자들에게 그런 즐거움을 선물해주고 싶습니다.

양수경 선생님, 선생님 같은 사람이 되고 싶었던 제가 이제는 선생님 같은 교사가 되고자 합니다. 제게 계속된 영감이 되어주셔서 감사합니다. 존경하고 사랑합니다.

선생님의 팬 김의연 올림

"저랑 차 계속 마셔주실 거죠?^

김주은

선생님 퇴직을 축하드립니다! 오랜 기간 너무 수고 많으셨어요! 내년부터는 대광여고에 선생님이 계시지 않다고 생각하니 벌써 서운하고 허전한 것 같아요. ㅠㅠ 선생님은 더 시원섭섭하시겠죠?

선생님의 많은 제자 중 한 명이 될 수 있어서 저는 너무 행복했고, 지금도 큰 복이라고 생각해요. 제가 고등학교를 졸업한 지 어언 10년이 지났지만, 열정적으로 저희에게 불어를 알려주시고, 진로를 지도해주시던 선생님의 모습이 아직도 기억에 많이 남아요. 졸업하고 가장 그리웠던 것은 선생님의 수업이었어요. 육체적으로, 정신적으로 힘들었던 고등학교 생활이었지만 불어 시간 때만큼은 정말 즐겁게 공부했었네요. 저에게는 그때가 힐링의 시간이었거든요. 저희를 항상 진심으로 대해주시고 아껴주셔서 너무 감사했어요. 수업시간에 선생님께서 해주시던 한 마디, 한 마디가 큰 힘이었습니다.

그리고 선생님 덕분에 불어에 흥미를 갖게 되어 지금까지 올 수 있었던 것 같아요. 사실 처음에는 그저 선생님께 잘 보이고 싶어서 불어 공부를 열심히 했었어요. 그러다 보니 불어도 좋아하게 됐네요. 대학교나 대학원 학기 초반이 되면 불어를 어떻게 배우게 됐냐는 질문을 듣곤 했는데 그때마다 항상 선생님 이야기를 해요^^ 처음 불어를 배울 때 너무 재밌고 이해 잘 되게 알려주셔서 지금까지 불어를 공부하게 됐다구요. 저도 선생님께 자랑스러운 제자가 되도록 더 노력해서 좋은 소식 들려드릴게요!

고등학교를 졸업하고 나서도 언제나 반갑게 맞아 주셔서 감사해요. 선생님 뵈러 학교에 찾아갔을 때, 광주에서, 서울에서, 오며 가며 쌤을 만날 때마다 저는 큰 힘을 얻고 돌아왔었어요. 차 한 잔 마시면서 선생님께 이런저런 고민을 이야기하고 조언을 듣던 시간이 너무 값진 시간들이었네요. 계속 저랑 차 마셔주실 거죠?^^ 그리고 대광여고 국제교류팀에서 서울에 왔을 때 불러 주셔서 감사했어요. 대학원에서 번역 공부하던 것을 선생님 덕분에 실전에서 써먹을 좋은 기회였어요. 관광지 안내를 도우며 프랑스 친구들과도 짧게나마 이야기 나눌 수 있어서 좋았습니다. 그때가 개인적으로 힘든 시기였는데, 선생님 덕분에 교류 프로그램에 참여하면서 정신적으로도, 경제적으로도 도움을 많이 받았어요 ^^ 또 한 가지 생각나는 게, 전대 불어 캠프에서 재학생들에게 통번역대학원을 알리는 특강 제의를 받고 어떻게 해야 하나 고민하고 있으니 선생님께서 도와주시던 게 기억나네요. 선생님께서 어떤 식으로 특강을 진행하는 게 좋은지 알려주셔서 잘 끝낼 수 있었어요.

이렇게 지난 일을 되뇌어 보니 저는 정말 선생님께 신세도 많이 지고, 도움도 많이 받았네요ㅠㅠ. 제가 고민을 말씀드리면 항상 본인 일처럼 같이 고민해 주시고, 같이 아파해주시고, 조언해주시던 선생님, 너무 감사합니다! 선생님, 항상 건강하시고, 행복하시도록 제가 늘 응원하고 기도할게요. 제 도움이 필요하시면 언제든 불러주세요. 교단은 떠나시지만, 학생들과의 기억이 언제나 선생님의 마음속에 아름답게 남아있었으면 좋겠어요^^

쌤 사랑합니다!!♥♥

선생님의 유산

김진아

"진아야. 불어 선생님이 식사하러 오셨다가 네 안부 물으시더라. 연락하라고 연락처 주고 가셨어."

헉. 불어 선생님!

내가 졸졸 따라다녔던 양수경 선생님!

졸업하고도 꼭 연락드리겠다고 걱정하지 마시라고 호언장담 했었다. 막상 대학에 가고 나선 대학 생활에 취해 일 년에 한 번 전화 걸까 말까 하다가 결국 선생님께서 날 먼저 찾게 하고야 말았다. 선생님의 얼굴이 눈앞에 스치며 부끄러움에 얼굴이 붉어졌다.

줄 세우기 교육 시절에 학창시절을 보냈던 나는 초중학교 땐 날고 기며 선생님들의 사랑을 받다 고등학교에 진학하며 나는 법도 기는 법도 잃어버렸다. 전교 일등, 반 일등을 휩쓸 만큼은 아니지만 그래도 나름 공부 잘하는 학생 축에 속해 있던 나는 고등학교에서 치른 첫 중간고사에서 아주 난감한 점수를 받고야 말았다. 처음 받아본 적응되지 않는 성적표에 엄청난 충격과 함께 좌절했던 순간이었다.

"아. 나는 망했구나. 이건 정말 회복 불능이야……."

희망이 보이지 않았다. 이런 생각과 함께 나를 더 힘들게 만든 것은 나라는 존재가 학교에 있어도 그만 없어도 그만인 학생이 됐다는 사실이었다. 1분이면 끝나는 '휘리릭 진학상담'을 받는 학생이 있는가 하면 10분, 20분이 지나도 교무실을 나오지 않는 '한땀 한땀 진학상담'을 받는 학생이 있었는데 나는 전자였다. 인생의 중요도가 성적 앞에 갈리는 것이 아닌 것을 알지만, 누구나 똑같이 중요한 인생을 살고 있다는 것도 알지만. 진학상담을 받았던 순간은 내 인생의 중요도가 낮아진 기분이었다. 순위권 안에 들지 않는 학생은 반을 빛내줄 수 없을뿐더러 장기적으로는 학교를 빛낼 수 없는 학생이니 굳이 심혈을 기울여 관리할 필요가 없었을 것이다. 그리하여 부모 외엔 아무도 나에게 기대하지 않았고 나 또한 나에 대한 기대를 포기한 채 한참을 방황하며 고등학교 1년을 보냈다.

2학년이 되었다. 이렇게 자포자기로 살면 안 되겠다 싶어 정신을 차려보려 안간힘을 썼다. 그 시기에 나를 알아봐 주시는 선생님들 몇 분 계셨는데 그중에 양수경 선생님이 계셨다. 선생님은 불어를 가르치셨고 들리는 소문에는 엄격하기로 유명했지만 그런 것 같지는 않았다. 맨 앞자리에서 열심히 하려 애쓰는 나를 알아봐 주는 눈빛으로 날 쳐다보셨다. 그런 선생님이 좋았고, 잘 보이고 싶었다. 반의 불어 부장을 뽑는 날. 나는 손을 번쩍 들어 하겠다고 했다. 선생님과 더 가까워지고 싶어서였다. 불어 부장이 된 뒤 나는 매 수업시간을 은근한 긴장감으로 임했다.

'질문하시면 어쩌지? 아무도 대답을 안 하면 어쩌지? 나라도 해야 하는데'

선생님의 질문에 침묵의 시간이 없도록 예습과 복습을 미리 해두었다. 시험 기간엔 그 어떤 과목보다 불어 공부를 열심히 했다. 주요과목이라 할 수 있는 국·영·수를 시험 치는 날에도 불어 공부를 했는데 주요과목 공부를 못 해서 걱정이 되기보단 불어 공부가 신이 나서 했던 기억이 난다. 무엇 때문이었을까? 무엇이 나를 그토록 긴장하고 열심히 하도록 만들었을까. 그것은 아마도 그동안 내가 잊고 있던 감각. 누군가 나에게 기대하고 있다는 것을 느끼는 감각 때문이었을 것이다. 정말이

지 누군가가 나를 지켜보며 기대한다는 사실 자체가 좋았다.

불어 선생님은 나를 긴장시키고 열심히 하게 만드는 존재임과 동시에 동경을 심어주는 사람이기도 했다. 수업시간에 종종 당신의 대학 생활과 프랑스 생활에 관한 이야기를 꿈처럼 들려주셨는데 그때마다 나는 내가 마치 그 장면 속에 있기라도 한 듯이 머릿속에 그림을 그려가며 이야기를 들었다. 불어과에는 남자보다 여자가 많은데 유독 멋쟁이들이 많다는 이야기. 키도 크고 얼굴도 잘생기고 옷도 잘 입는 여자들이 모여 있어 불어과 애들이 캠퍼스를 누비면 사람들이 쳐다볼 정도란 이야기. 하지만 매일 그렇게 옷에만 신경 쓰고 외모만 보살피면 안 된다는 이야기. 공부할 때는 공부를 해야 한단 이야기. 진정한 멋쟁이는 공부할 땐 공부에 집중하고 파티 같은 특별한 날에는 짠~하고 변신해서 사람들을 깜짝 놀래킨다는 이야기. 프랑스 몽마르트르 언덕에 가면 그림 그리는 화가들이 늘어서 있는데 그곳에 있는 카페에서 마시는 커피가 그렇게 맛있다는 이야기. 키도 크고 콧대도 높은 프랑스 여자들이 기다란 바게트를 옆구리에 끼고 걷는다는 이야기. 영화의 한 장면처럼 그림을 그려가며 나도 언젠가 그 속에 있기를 바랐다.

아마 선생님이 심어준 로망 때문에 자연스레 불어를 전공해야겠다고 마음먹었는지도 모른다. 3학년이 되어선 불어과에 진학하는 것을 목표로 공부하기 시작했다. 결과적으로 불어가 나의 운명은 아니었지만, 원하는 학교의 불어과에 가겠다는 의지로 수능이란 거사를 치러낼 수 있었다.

대학에 진학해서는 선생님과의 거리가 자연스레 멀어졌다. 졸업하고 얼마 되지 않았을 땐 선생님이 좋아하는 다크 초콜릿을 듬뿍 녹여 케이크를 구워가기도 하고, 추석, 설날, 크리스마스와 같은 때에 맞춰 안부 인사를 전하기도 했지만, 시간이 갈수록 그것마저도 뜸해졌다. 마침

내 나는 학교의 유학프로그램으로 잠시 외국에 나가 있었고 한국으로 돌아온 뒤에는 휴대폰 번호도 바뀌어서 선생님과의 연락은 끊어졌다. 그렇게 몇 년이 지나고 취준생이 된 내가 백수 생활을 하고 있을 무렵. 바로 그 어느 날. "진아야. 불어 선생님이 식사하러 오셨다가 네 안부 물으시더라. 연락하라고 연락처 주고 가셨어."

'아뿔사! 실수다. 내가 먼저 해야 했는데!'

죄송함에 조심스레, 정말 정말 조심스레 전화 걸었고 다행히 선생님은 서운한 기색 없이 잘 지냈냐며 안부를 물어주셨다. 곧 있으면 프랑스문화원에서 보졸레 누보 파티를 하는데 같이 가자고도 했다. 오랜만에 만나는 선생님과 분위기 좋은 파티장에서의 데이트. 흥분되는 순간이었다. 그곳에서 내가 와인을 마셨던가? 긴장해서 못 마셨던가? 기억이 나지 않는다. 대신 자리를 같이했던 사람들에게 나를 아끼는 제자라고, 훌륭한 제자라고 선생님이 소개했던 것은 기억난다. 제때 연락도 못 드리고 결국 선생님이 먼저 나를 찾게 만든 제자인데… 게다가 난 취준생 백수인데 그런 나를 훌륭한 제자라고 소개하다니….

파티가 끝나고 집으로 돌아가는 길. 선생님께서 알 수 없는 말을 하셨다.

"네가 자리를 잡기 전까진 나의 책임은 끝나지 않은 거야. 네가 나 없이도 잘 먹고, 잘 살 수 있으면 그땐 내가 없어도 돼."

난 속으로 '아니 이게 무슨 뚱딴지같은 소리?'를 외쳤다. 그때 난 도무지 그 말이 무슨 말인지 몰랐다. 내가 자리 잡기 전까지 선생님의 책임이 끝나지 않은 거라고? 나를 책임지겠다는 말씀이신 건가? 백수인 나에게 일자리를 알아봐 주시려 그러나? 어떻게? 그런데 왜? 맘속으론 물음표투성이였지만 겉으로는 알겠다는 표정으로 고개를 끄덕였다.

그렇게 그 말의 속뜻을 어떻게 이해해야 할지 모른 채, 선생님께 그런 말을 들었다는 사실조차 잊어버린 채로 십 년이 지났다. 좌절감에 휩싸여 자포자기했던 고등학생의 모습, 대학에 가겠다는 막연한 목표로 수능 공부에 올인했던 고3 시절의 모습을 지나 음식과 문화공부로 대학과 대학원 생활을 마친 지금은 농사와 요리, 지속 가능한 음식에 관심 있는 청소년들을 만나고 만들어내는 교육 일을 하고 있다.

어느 날 내가 만나는 학생들에 대해 생각하다 선생님의 그때 그 말씀이 퍼뜩 떠올랐다.

"네가 자리를 잡기 전까진 나의 책임은 끝나지 않은 거야. 네가 나 없이도 잘 먹고, 잘 살 수 있으면 그땐 내가 없어도 돼."

선생님의 말 뜻을 이해할 것 같았다. 이해할 수 있었다.

다름 아닌 나를 지켜보겠다는 것이었구나. 내가 학교를 떠났어도 내가 어디 있든, 어디서 무얼 하든, 잘 지내는지, 밥벌이는 잘하고 사는지, 사회에 첫발은 잘 내딛는지, 힘들진 않은지 도와줄 것은 없는지. 지켜보겠다는 것이었구나.

울컥하고야 말았다. 그 시절의 나, 그리고 나와 같은 때를 지나가고 있는 내가 만나는 학생들을 생각하니 코끝이 찡해졌다. 그리고 생각했다. 난 정말 진짜 선생님을 만난 행운아구나. 선생님은 그렇게 제자에 대한 책임감을 느끼고 계셨던 거구나. 나의 이 행운을 내가 만나는 학생들에게도 나눠줘야겠다 다짐했다. 나도 나의 학생들을 지켜봐 주리라. 그들이 내 옆에 바로 있지 않아도. 그들이 어디 있든, 어디서 무얼 하든, 잘 지내는지, 밥벌이는 잘하고 사는지, 사회에 첫발은 잘 내딛는지, 도와줄 것은 없는지.

선생님은 나를 지켜봐 주는 선생님이었고 그 덕에 나는 지금의 내가 되었다…. 지켜봐 주는 선생님. 나도 누군가에게 그런 존재가 될 수 있다면 좋겠다. 이것은 선생님이 내게 남긴 유산이며 누군가에게 또 물려주고 싶은 유산이다.

"괜찮아, 해봐! 넌 할 수 있어"

김진희

오 샹젤리제 오 샹제리제~~ 양수경 선생님은 고등학교 시절 나에게 기억에 남는 선생님 중 한 분이셨다.

처음 불어를 선택한 이유는 일본은 언제든 갈 수 있는데 프랑스는 조금 더 가기 어려울 것 같아 불어를 배우면 파리를 가야 할 이유가 생길 거야! 라고 생각하면서 불어를 선택했었다. 처음엔 선생님이 아닌 언어에 대한 또는 여행에 대한 목적으로 불어라는 과목을 선택했던 것 같다. 내가 처음 양수경 선생님이 좋다고 생각한 것은 수행평가 때였다. 나는 개인적으로도 대외적으로도 음치이다. 불어 수업시간의 수행평가는 불어 샹송 부르기였었는데 나는 노래를 못하는데 왜 음치를 배려해 주시지 않는 거냐는 생각도 할 정도였다. 수행평가는 다가오고 나는 샹젤리제라는 노래를 불러야 했는데 노래를 외우지 못해서가 아니라 음치라서 부끄러울 듯한 마음이 컸던 것 같다. 그때 양수경 선생님은 나에게 괜찮아 해봐! 라고 말씀해 주셨다.

그 말의 영향 때문이었는지 나는 무사히 노래를 끝까지 부를 수 있었던 것 같다. 아마 선생님은 모르셨겠지만, 나에게는 괜찮아 해봐!! 라고 하는 말이 굉장한 영향력이 있었던 것 같다. 지금도 자신이 없거나 고민되는 일이 있을 때 괜찮아 해보자!! 라는 생각을 많이 하게 되는데 가끔은 그게 주문이 아니었을까 싶기도 하다. 그 당시에 나는 양수경 선생님과 더욱 가까워지고 싶었지만……. 내가 생각하는 선생님은 굉장히 인기인이셨기 때문에 가까워질 기회 없이 졸업하게 되었다.

그러던 어느 날 정말 우연한 기회로 선생님과 재회를 하게 되었다. 나는 진월동에 작은 안경원을 개원하게 되었고 오픈 2개월 차에 선생님이 손님으로 오셨다!! 들어오실 때 어디서 많이 봤는데…. 오셨던 손님인가? 고민하던 중 아무리 봐도 양수경 선생님이라는 생각이 들었다. 아는 척을 해야 하나? 불편하시지는 않을까? 날 기억하실까? 하다가 나 나름대로는 최대한 자연스럽게 선생님이시죠~ 라는 말로 시작해…. 내가 대광여고의 학생인 것을 밝혔다. 선생님은 전혀 나를 기억하시지는 못하는 것 같은 눈치셨지만…. 당연하다고 생각했다. 검사를 해드릴 때 선생님이 눈을 검사하는 포롭터에 약간 부딪히셨는데 울랄라!! 평소 선생님께서 자주 하셨던 단어가 나왔다. 선생님은 놀람과 자연스러운 표현이었는데 나는 그게 너무 반가웠고 좋았다. 나중에 친구들이랑 이 이야기를 하면서 "양수경 선생님이니까 그럴 수 있어 남이 했으면 이상했겠지"라는 이야기도 했다. 안경을 맞춰드린 뒤 선생님과 차 한 잔이라도 하고 싶다. 더 대화 나누고 싶다고 생각했지만, 개업 2개월 차인 나는 이리 치이고 저리 치이는 그날따라 같이 일하는 선생님도 부재중인 날이어서 점심 한 끼 하지 못한 게 너무 아쉬웠다. 선생님이 가시고 며칠 뒤 선생님께 전화로 안경은 잘 쓰시는지 불편한 곳은 없는지 여쭈었지만, 서울에 가셔서 안경을 두고 오셨다는 말과 함께…. 다시 매장에 방문해 주신다고 하셨다. 아직 선생님과는 조금 어색한 사이인 것 같다…. 정말 좋은 기회가 된다면 더욱더 가까워지고 싶다. 내가 좀 더 대단한 사람이 돼서 선생님에게 도움이 되거나 최소 선생님의 안경을 평생 책임지고 싶다는 생각을 하게 되었다. 샹젤리제에는 태양이 빛나건 비가 오건 간에 낮이 되었건 밤이 되었든 간에 샹젤리제에는 그대들이 원하는 것은 무엇이든 있지~ 괜찮아 해봐! 뭐든지 내가 원하는 건 할 수 있어!!

"괜찮아, 해봐! 넌 할 수 있어"라는 그 말씀은 지금도 내가 가끔 힘들 때 혼자 되뇌며 힘을 얻는 말이다. "선생님, 감사합니다."

"이 학생이 그럴 리가 없다"

김평화

저는 공부를 그렇게 잘했던, 소위 말하는 상위권의 학생은 아니었습니다. 학교 분위기상 학업 성적에 대해 경쟁이 참 치열했는데요. 그런 분위기에 스스로 잘 적응하지 못하는 자신을 느낄때가 많았습니다. 고등학교 1학년 때, 복도에서 다른 아이들이 친 장난임에도 제가 범인으로 몰려 다른 선생님께 크게 꾸지람을 듣고 있었습니다.

주눅이 들어있던 시절에, 당당히 제가 한 행동이 아니라고 말도 못하고 그저 당황만 하고 있었는데요. 그때 선생님께서 나타나 '이 학생이 그럴 리가 없다. 성실하고 착한데, 다시 확인을 해봐야 한다'라고 말씀을 해주고 든든히 옆을 지켜주셨습니다. 굉장히 놀랐습니다. 모든 선생님이 그저 보고 지나갈 때 뚜벅뚜벅 오셔서 단호하게 말씀해 주시던 선생님이 참 감사했습니다.

모교 특성상 굉장히 성적이 강조되고, 성적순으로 다른 가치들도 함께 평가가 매겨지는 부분들이 꽤나 많이 존재합니다. 하지만 그 순간만큼은 '누군가 날 믿어주고 지지해주는 어른이 있구나'라는 감정을 알게 해주셨습니다.

고등학교 성적은 물론 중요합니다. 하지만 고등학교를 졸업하고 사회에 나와보니 제 머릿속에 남은 것은 고등학교 시절 성적 등급이 아닌, 멋진 스승이자 든든한 어른의 모습입니다. 감사합니다. 선생님.

정말 대단하시다는 생각만 듭니다. 저는 이제 사회생활 5년 차인데, '10년을 할 수 있을까?' 하는 생각이 듭니다. 긴 기간 동안 열심히 근무하셨던 선생님이 대단하시기도 하고, 얼마나 많은 열정이 있으셨을까 하는 마음도 다시 되새겨 봅니다. 대학교 입학 후 유럽여행을 준비하며 고등학교 때 들었던 프랑스 이야기를 많이 생각했었는데요. 이런 작지만 소중한 추억과 행복들이 모여 고등학교 학생 시절을 보낸 거 같습니다. 그리고 이런 추억들 배경에는 선생님이 노력과 열정이 배여있다고 생각합니다. 긴 시간 동안 정말 고생 많으셨고 앞으로 선생님이 보여주실 인생 2막이 더 찬란하고 눈부시길 함께 바라고 응원하겠습니다.

정말 고생 많으셨습니다! 선생님

찐 제자가 되리라

김혜령

사랑하고 존경하는 선생님.

선생님께서 명퇴하신다는 소식을 듣고 그저 눈물이 났습니다.

선생님과의 추억, 제자들을 사랑하고 따뜻하게 품어주시던 말씀 하나하나….

선생님을 처음 만났을 때를 기억하고 있습니다.

고등학교 2학년이 시작되기 전 겨울방학, 서울에서 광주로 이사를 하게 되어 전학 원서를 제출하러 엄마와 교무실에 갔었죠. 당시 선생님과의 첫 만남이었습니다. 너무 낯설고 떨렸는데 선생님께서 이것저것 알려 주셨지요. 그리고 등교 후 아직 교과서를 준비하지 못한 제게 선생님께서 수업하고 있던, 선생님의 글씨가 적혀 있는 교과서를 빌려주셨죠.

그리고 그때부터였습니다. 선생님의 찐 제자가 되리라~~

고3. 대학에 떨어져 재수하게 되면서 저는 졸업식에도 참석하지 않고, 축 처진 상태로 그저 조용히 학원에 다니게 되었어요. 그리고 선생님께서 제 연락 기다린다는 말을 친구로부터 전해 듣고, 아마 학원 자습 시간에 선생님께 전화를 드렸던 것 같아요. 그리고 선생님과 통화를 마치고, 그날 자습하는 내내 펑펑 울었던 기억이 납니다.

항상 저를 믿고 지지해주셨던 선생님.

대기업 시험에 합격한 뒤 청첩장 드리러 가면서 선생님처럼 현명한 아내, 따뜻한 엄마가 되리라 결심했었어요. 그리고 일과 육아를 병행한다는 것이 쉬운 길이 아니라는 것을 뒤늦게 알게 되었구요. 바쁜 와중에 제자들에게 따뜻함과 유머, 넉넉한 미소를 지어주신 선생님을 떠올리며 저 또한 가정과 회사에서 최선을 다할 수 있었습니다.

대학을 졸업하고 대한항공에 입사한 뒤 파리에서의 데이트, 기억하세요? 첫 번째는 선생님 파리 연수 일정과 제 비행 일정이 비슷해서 만나 둘만의 데이트를 했었죠. 파리 이곳저곳 골목길을 함께 거닐며 정말 행복했어요…. 선생님 연수할 때의 무용담도 듣고, 이런저런 이야기 많이 나누었었죠.

두 번째는 우연히 선생님께 연락드렸는데 가족 모두 파리에 계신다고 해서 저는 비행 출발 당일에 나가서 선생님과 사부님, 아이들을 만나고 왔었지요. 호텔에서 갑작스레 시내 가는 버스를 타는 저를 보고 팀 후배가 오후에 픽업인데, 어디 가느냐고 묻던 기억이 납니다. 하지만, 잠을 못 잔 채 서울까지 왔어도 뿌듯하고 행복한 비행이 되었었지요. ^^

그렇게 직장생활을 하며 선생님과 선생님 가족과의 만남을 갖고 서로를 더 잘 알아가던 해 이런 웃지 못할 해프닝이 있었습니다.

고대 앞, 선생님 딸 자취방 현관문 앞에 털썩 주저앉아 선생님 끌어안고 엉엉 울었던 일. 한 달이 넘는 해외여행을 마치고 돌아와 많이 지쳐서 광주로 내려가기 전 학교 앞 딸 집에 며칠 머물고 계시던 선생님과 이태원에서 점심 먹기로 약속했지만, 선생님께서는 나오지 않으셨지요. 평소에 약속을 정확히 지키시던 선생님이셨는데 1시간이 지나도 연락이 안 돼서 먼저 광주로 내려가신 사부님께 연락하여 따님 전화번호를 알아서 전화했는데 지수도 여전히 전화를 안 받고…. 결국 경찰까지 대동해서 지수 집을 찾아가고 경찰이 문을 두드릴 때까지 저는 숨이 멎는 줄 알았지요. 잠시 뒤 문이 열리고 선생님 얼굴을 뵙자마자, 저는 그냥 그 현관에 주저앉아 대성통곡을 했었죠. 혹시나 무슨 일이 일어났나 싶어서 너무 걱정되고 불안했던 탓이지요. 알고 보니 연락이 두절됐던 까닭은 모녀의 긴 해외여행의 여독이 남긴 시차적응 탓으로 깊은 잠에 빠졌던 탓이었지요.ㅋㅋ

아~~ 선생님과의 추억을 떠올리는 것만으로도 너무 행복하고 설렙니다. 선생님의 제자 사랑이 여전하다는 것을 많이 느꼈어요.
최근까지 후배들과 프랑스 연수를 준비하시는 모습, 신문 기사들을 보며 너무 감격스러웠고, 후배들이 부럽기도 했답니다.^^

선생님, 이 글을 쓰는 동안 너무 행복해하는 제 모습을 보며 이제 중학교 입학을 앞둔 제 둘째가 제 주변을 어슬렁거리며 물어봅니다.

'엄마, 무얼 쓰는데 그렇게 웃고 있어요? 엄마, 참 행복해 보인다.
어? 가까이 보니까 눈에 눈물도 고여 있는 것 같아요.'

선생님,
아무것도 모르던 철부지 여고생이었던 제가 회사에 들어가고, 결혼하고, 두 아이도 중학생이 되어버린 중년의 아줌마가 되었답니다. 갑작스러운 전학으로 주변 생활이 낯설기만 할 때, 선생님은 제 버팀목이 되어 주셨고, 직장, 결혼, 육아로 지칠 때마다 선생님의 꿋꿋한 모습이 제겐 큰 힘이 되었어요. 선생님처럼 현명하고 지혜로운 어른이 되어야겠다고 늘 생각하고 있답니다.

선생님의 가르침을 받은 수많은 제자 중, 제가 그 한 명이어서 너무 기쁘고 감사합니다. 선생님께서 수업시간에 제자들에게 들려주신 말씀은 단순한 지식을 넘어 지혜였습니다.

사랑하고 존경하는 나의 양수경 선생님,
제자들에게 쏟으셨던 열정, 이제 잠시 내려놓으시고 조금은 게으르게 지내시며 건강 챙기시길 부탁드립니다. 바쁜 일을 또 찾아서 하실 것 같아 걱정입니다….

37년 긴 세월, 쉼 없이 달려오셨으니 조금은 천천히 쉬엄쉬엄 지내시길 소망합니다.

사랑하고 존경합니다!

오르세 미술관 앞에서

수양버들 같은 '수경'

김혜린

고등학교 2학년이 되던 무렵, 사실 제2외국어로 불어를 선택하게 된 것에 거창한 이유는 없었습니다. 한문을 공부하는 것이 싫었고, 한문이 섞인 일본어도 썩 내키지 않았거든요. 그래서 불어를 선택한 것은 사실 '차악'에 가까웠습니다. 그런데 돌이켜 생각해 보니 나비효과의 시작이었던 것도 같고, 떠오르는 고등학교 시절 추억 중 대부분을 차지하고 있네요. 그래서 양수경 선생님과의 인연에 감사하며, 퇴직 이후에도 선생님께서 이것을 읽으며 즐겁게 지내시길 바라는 마음으로 썰을 풀어 보고자 합니다.

"Pas du tout !"

"너는 어쩌다 불어를 배우게 된 거야?"
불어를 배우며 만나게 된 친구들은 꼭 한 번씩 이런 질문을 한다. 그러면 나는 항상 이렇게 대답했다.

"우리 불어 선생님의 'Pas du tout' 발음이 너무 멋있었어!"
사실 앞서 말한 이유가 실마리 같은 것이라면, 이것은 내가 불어에 처음으로 빠져들게 된 진짜 이유이다. 비웃을 수도 있지만, 이 발음을 들어본 사람들은 내 마음을 이해할지도 모른다. 불어를 처음 배우면 알파벳부터 시작해 '고마워요' '천만에요'와 같은 짧은 말들을 배우는데, 'as du tout(전혀)'가 그중 하나였다. 처음 양수경 선생님께서 'Pas du tout'를 읽으시는 걸 들을 때는 화가 나신 줄 알았다. 그도 그런 것이 지금 생각하기에도 정말 절도 있고 단호했다. 불어라면 대개 유려한 발음을 생각하는데 너무 신선했다. 그 당시 배운 외국어라고는 영어밖에 없었고 더군다나 내가 듣고 자란 것은 미국식 영어 발음이었기에, 그 된소리가 많고 강한 발음들이 그 당시 내게 너무 매력적이었다. 그래서 그때 그것을 발음하던 양수경 선생님도 너무 멋있어 보였다. 괜히 외국어 잘한다고 반하는 것이 아니다. 그렇게 불어와 양수경 선생님의 늪에 빠져버렸고, 그 후 친구들이 방심할 때마다 'Pas du tout!'를 단호하게 발음하면서 친구들을 놀래키곤 했다. 그런데 나중에 안 사실이지만 그보다 더 강하고 화나 보이는 외국어들이 많았다. 이를테면 독일어가 그랬는데, 그냥 독일어를 배웠어야 했나? 아니다, 중성까지는 감당할 수 없을 것 같다.

불어 시간엔 모두가 발표왕

수업시간에 절대 발표하지 않는 내성적인 나지만, 불어 시간만큼은 발표를 정말 많이 했다. 아마 불어 수업을 듣던 학생들 대부분이 그랬을 것이다. 이유는 다음과 같았다.

어느 날, 선생님께서 말씀하셨다. 누군가 발표를 했을 때 그 답이 틀리더라도 웃지 말라고. 정해진 답을 맞히는 그것보다 발표하려고 일어선 그 친구의 용기가 중요한 것이라고 말이다.

그 말은 언뜻 들으면 경고 같았지만 지나고 보니 모두 발표를 자유롭게 할 수 있었다. 틀릴 수 있다는 두려움은 종종 발언하려는 자를 주저앉히기도 하기 때문이다. 이후 불어 시간의 발표만큼은 더 하고 싶고 홀가분하고 그랬다. 다른 친구들도 그랬던 것 같다. 그래서인지 불어 시간만큼은 다른 수업시간보다 시끌시끌하고 생기가 있었고, 나는 그 분위기가 참 좋았다.

처음 불어를 배우기 시작할 때, 선생님은 발음을 한국어로 적지 말고 발음기호로 적으라고 말씀하셨다. 그런데 수업한 지가 꽤 지나서 그런지 내가 정말 발음을 한국어로 적지 않았는지 문득 궁금해졌다. 그래서 책을 찾아봤다.

하하하!! 저도 썼네요!!! ㅋㅋㅋㅋ

똥강아지

언제인지는 모르겠지만 언제부턴가 선생님께서 나를 '똥강아지' 라고 부르셨던 것 같다.

그런데 가끔 대광여고 친구들을 만나면 양수경 선생님께 이 '똥강아지'를 들었다는 증언자들이 속출한다. 그들의 말은 대개 나와 비슷했다. 다들 어느 순간부터인가 '똥강아지'라고 불렸는데 그게 언제부터인지는 정확히 모르겠고, 어느 순간에 익숙해져 있었다는 것이다.

졸업하고 1년 반인가 지났을 때, 처음으로 선생님께 연락을 드렸는데, 아무 일 없다는 듯이 전화를 받으시면서 또 '똥강아지'라고 부르셨다.

전화를 받으시면서 오랜만에 듣는 그 애칭과 선생님의 목소리는 그동안 내가 힘들었던 시간을 마치 알고 계신 듯했다. 그날, 선생님의 그 똥꼬발랄한 애칭은 나를 울렸다.

시간이 흘러 다시 만난 그 증언자들도 같은 말을 했다, 선생님이 자기들도 울리셨다고.

전기장판처럼 따스운 선생님

고등학교 3학년 무렵, 수능이 얼마 남지 않은 때이었다. 누구나 그랬을 테지만 그 시기는 불안하고 무섭고 불완전했다. 청소시간마다 양수경 선생님을 보러 갔었지만, 그때만큼은 아무도 만나고 싶지 않았다. 많이 위축된 내 모습이 감당하기 어려웠던 것 같다. 그러다가 어느 날 선생님을 뵈러 갔는데 다음은 그때 내가 일기에 썼던 내용이다

선생님께서 과자를 담아주신 그때 그 종이는 이 옆 장에 곱게 접어져 붙어있다. 그때 선생님 덕분에 마음이 참 따뜻했다. 지금도 너무 감사하게 생각한다. 아마 나는 이날을 잊지 못할 것 같다.

고등학교 시절 불어를 배우던 시간은 정말 즐거웠습니다. 그런데 언어를 배울 때 즐거운 자는 초보자라고 하던가요? 그래서인지 대학교 와서 전공으로 배우는 불어는 그렇게 즐겁지만은 않았습니다. 그런데도 불어를 배우고, 양수경 선생님을 알게 되어 기쁩니다.

양수경 선생님, 사랑해요!!!!!! Je vous aime !!!!!!

존경하는 양수경 선생님께

돌이켜보니 졸업한 지 어언 6년이 되어갑니다.

언제고 대광여고에 찾아가면 반겨주실 것 같은 선생님이신데, 어느새 은퇴하신다 하니 마음 한편이 먹먹해지네요.

불어를 배우게 된 것은 우연이라 생각했는데

졸업 후 불문과에 적을 두고 선생님과도 인연을 깊게 이어오고 있으니 아마도 모든 것은 이렇게 되려 했나 봅니다.

지나 보니 저의 삶을 변화시켰던 것은 모진 말보다는 가슴 시리게 따뜻한 말이었던 것 같아요.

그래서 저를 항상 믿고 응원해주시던 선생님의 그 따뜻한 말씀이 오랜 시간 동안 제 마음에 남아, 슬픈 날에는 오히려 덤덤할 수 있었고,

좌절하던 날에도 호기롭게 나아갈 수 있었고, 그렇게 제 삶은 선생님 덕에 더 풍요로워졌습니다.

그런 이유로 항상 선생님을 떠올리면 마음이 참 따뜻했고, 든든했고, 무엇보다도 제가 그런 선생님의 제자라는 사실이 내내 자랑스러웠습니다. 이제 조금만 있으면 끝내 2월이 지나고 선생님께서 마지막으로 교정을 나서는 날이 오겠지요.

그런데요, 선생님

버드나무 중에 '수양버들'이라고 있답니다. 중국 전설에 수양이라는 처자가 지난 자리에 한 그루의 나무가 났는데, 생긴 것은 버드나무와 비슷하면서도 지금까지 보지 못한, 이름 모를 나무임을 알고 그녀의 이름을 따서 수양버들이라고 불렀다 합니다. 어디든 가면 볼 수 있는 버드나무처럼 세상에 선생님은 많지만, 양수경 선생님께서는 그 버드나무들과는 어딘가 다른, 진귀한 수양버들 같은 스승이었노라, 아마 선생님을 알아온 모든 제자가 그렇게 기억할 것입니다.

마침 이른 봄에 꽃을 피우는 수양버들처럼 선생님의 또 다른 시작이 내내 찬란하기를 바랍니다.

희망을 노래하는 아이들의 등불

김홍미

선생님, 기억하시나요? 1999년 입학한 김홍미입니다. 선생님께 편지를 썼던 기억이 많지 않네요. 졸업한 지 19년이 지난 지금, 고등학교 때를 생각하면 가장 먼저 떠오르는 분이 선생님입니다. 그만큼 저에게 가장 영향을 많이 주신 분이고 제가 존경하는 선생님이기 때문입니다. 선생님이 퇴임하신다고 하니, 37년간 교직 생활에 열정적으로 임하셨던 선생님이 존경스럽고 축하드립니다.

그때가 생각납니다. 클럽활동에서 축제를 준비하게 되었던 우리들은 Aux Champs-Elysées(오!샹젤리제), Pinocchio(피노키오) 가사 외우기에 바빴죠. 지금 생각하면 참 부끄럽습니다. 선생님과의 약속, 선생님께 잘 보이고 싶은 마음은 간절하면서도 가사 외우기는 싫어서 시간을 내서 외워야 하는 나의 노력이 필요할 때 노력하지 않았죠. 아마도 선생님께서는 저의 모습을 보면서 금세 아셨을 텐데, 그 모습을 감추기에 바빴던 저였네요. 선생님의 눈에서 레이저가 나오는 것도 아닌데, 선생님과 눈만 마주쳐도 저의 부끄러운 모습에 눈물이 났던 기억이 납니다.

선생님께서는 많은 제자를 보면서 제자들의 가능성을 격려해주셨던 분이었습니다. 1학년 때보다 2학년의 학업 과정이 어려웠고, 학업에 좌절을 느끼던 때 많은 도움을 주셨던 선생님께 감사드립니다. 매달 보는 시험 성적도 부족한 부분이 무엇인지 먼저 알게 해주시고, 그때 기억하실까요? 500원. 어렴풋이 기억나는 쿠폰 같았던 500원. 그리고 빽빽한 것 깜지…. 대학진학을 앞두고 진로를 결정하지 못할 때도 선생님께서는 저에게 격려를 많이 해주셨어요. 공부를 잘해 진로를 결정할 때 선생님께 기쁨을 드렸다면 얼마나 좋았을까요? 그러지 못했기에 혼자서 걱정하고 내가 가고자 하는 길에 의문이 들어 방황하고 있을 때, 큰 등불을 비추어 주셨던 선생님! 저를 끝까지 지지해주셨던 선생님이 계셨기에 어려움을 포기하지 않고 선생님께서 걸어오셨던 아름다운 길을 아직 부족하긴 하지만 제자인 제가 걸어가고 있습니다.

가끔은 제가 가르치는 아이들의 가능성과 잠재력을 쉽게 생각하지 않았나 하는 두려움이 생겼을 때 선생님께서 저를 바라보셨던 가능성의 무게를 되새기곤 합니다. 아이들을 가르친다는 건 희망을 노래하는 아이들의 등불과 같다는 교훈은 모두 선생님의 아름다운 가르침이었습니다.

37년간 학생들을 위해 헌신하고 노력하셨던 선생님의 모습은 제자들의 마음으로 그리고 그런 선생님을 닮고자 했던 제자들의 모습으로 이어져 오고 있습니다. '명퇴'라는 딱딱한 단어로 선생님께서 걸어오신 아름다운 길이 끝이 아님을 말씀드리고 싶습니다. 조금씩 식어 버리는 교직의 열정에 선생님께서 주신 가르침은 항상 저뿐만 아니라 모든 이에게 삶의 원동력이 되어주심을 의심하지 않으며 선생님께서 이루어 놓으신 물결에 더 큰 물결을 만들 수 있음을 믿고 열심히 살아가 보겠습니다. 선생님의 교육적 철학과 삶의 가치는 제자들 마음속에 깊이 새겨져 있음을 말씀드립니다. 학생들을 위해 노력하신 37년의 세월, 아름다운 길이였음을 이제 저희들이 증명해 보이겠습니다. 선생님 정말 사랑합니다. 인생의 1막을 행복하게 마무리 하심을 정말 축하드리며 열심히 노력하신 선생님의 열정에 큰 박수를 보내드립니다.

　　선생님의 인생 2막을 축복하며 그 길에 제자들이 또! 함께 하겠습니다. 행복하세요! 사랑합니다!

새로운 세상을 보게 해주신 선생님

김효원

존경하는 양수경 선생님께,

안녕하세요, 선생님.

대광여자고등학교 2010년 2월 졸업생 김효원입니다.

오랜 시간 교직에 계시다가 건강한 모습으로 명예퇴직하게 되신 것을 진심으로 축하드립니다. 저는 2007년 3월에 입학하여 2학년, 3학년 때 선생님께 프랑스어 수업을 들었는데요. 그때의 인연이 이어져 이렇게 멋진 프로젝트에 함께하게 되어 너무 기쁘고, 감사할 따름입니다.

새해 인사와 함께 전해주신 명예퇴직 소식을 듣고 부족하지만 몇 자 적어보기에 앞서 간단히 제 근황을 말씀드릴게요. 고등학교를 졸업한 뒤 조선대학교 사범대학 음악교육과에서 음악 학사 학위를 받고, 교직과 연주에는 뜻이 없어 서울의 중소기업에 취직해서 국내외 공연기획 및 해외 페스티벌, 심포지엄 등을 기획하고 운영하는 일과 출판 번역을 했습니다. 이후 좋은 기회로 예술의전당에서 잠깐 일하게 되면서 사범 계열의 음악 교과가 아닌 실제적인 문화예술 분야에 대해 조금 더 심층적으로 공부하고 싶다는 생각이 들어 2019년 9월, 영국에 있는 University of Warwick 대학원에 입학하여 International Cultural Policy and Management를 전공하고 지난겨울에 우수한 성적으로 석사 학위를 받았습니다. 그저 선생님 관심이 고팠던 고등학생이었는데 벌써 어엿한 척척석사가 되었습니다!

솔직히 말씀드리자면 개인적으로 저는 결코 기억력이 좋은 편이 아니에요. 그런데도 고등학교 때를 떠올려보면 다른 수업보다도 프랑스어 시간을 가장 열심히 하였던 제 모습이 선명하게 그려지곤 합니다.

고등학교 2학년 때 제2외국어 과목 선택 시, 프랑스어를 선택했던 이유는 아주 단순했던 것 같아요. 그때 당시에 일본어는 이미 다른 기회를 통해 배워봤으니 새로운 것을 배워 보고 싶다는 생각이 들었거든요. 당시에 외국어를 어려워하는 친구를 옆에 끼고 저만 신이 나서 수업을 기다렸던 시간들이 기억 속에 생생합니다. 선생님의 기억 속 저는 어떤 모습일지 몰라도 그 당시에 저는 프랑스어 수업만 기다렸거든요.

이미 졸업한 지 10년이 넘게 지나서 지금은 어떤지 모르겠지만, 제가 학교 다닐 때는 3학년으로 올라가면서 제2외국어는 필수가 아닌 선택이었지만, 암묵적으로 우열반을 나누는 기준이 되었습니다. 그 사실을 모른 채로 프랑스어 수업이 재미있다는 마음 하나로 무식하고 용감하게 제2외국어를 선택했다가 서울대학교를 준비하는 친구들과 한 반이 되어 다른 과목 수업 때, 그리고 입시를 준비하면서 무척이나 힘들어했던 것이 기억납니다. 시간이 이만큼 지나고 나니 추억이지만, 그때 당시에는 수업 따라가기가 얼마나 힘이 들었는지 몰라요. 그렇게도 고등학교 3학년 생활은 힘들었지만 저는 그때 제2외국어를 당당하게 선택한 저 자신을 칭찬해 주고 싶습니다.

돌아보면 프랑스어를 배우면서 저는 세계에 대한 큰 동경이 생겼던 것 같습니다. 선생님 덕분에 프랑스어를 비롯한 영어, 독일어 등등 다른 외국어에도 관심을 많이 가지게 되었고, 아는 만큼 보인다는 말이 정말로 현실로 다가오는 것을 매 순간 느끼면서 살아가고 있거든요. 그와 동시에 다양한 분야에 적극적으로 나서는 도전정신 또한 선생님께서 길러주신 것이라고 해도 과언이 아닙니다. 진심으로 감사드려요. 그리고 '조금 더 잘 되면 연락드려야지', '조금 더 안정적인 곳에 취직해서 잘 되면 찾아가서 뵈어야지'하고 미루면서 제 마음을 그동안 표현하지 못해 송구합니다. 이번을 기회로 삼아 더 자주 연락드리고 찾아뵐 수 있도록 하겠습니다!

놀라시겠지만 아직도 서툰 프랑스어를 가끔 쓴답니다. 사회생활을 시작하고 처음으로 정식 근무하게 된 회사에서 업무 특성상 해외 출장을 자주 다니면서도 그랬고, 여행지에서도 별것 아닌 단어나 문장도 괜히 배웠던 발음이나 억양을 떠올려보면서 쓰기도 했어요. 영국 대학원에서 여러 국적의 친구들을 만나 다양한 프로젝트를 진행하고 공부하면서도 유용하게 썼고요. 더 잊어버리기 전에 다시 공부해야겠다는 다짐도 매번 하고 있습니다.

선생님,

아직도 서툴고 어리지만, 서른한 살이 되어 사회생활을 해보니 한 가지 일에 전문적으로 몰두하여 37년이라는 세월 근무하신다는 것이 얼마나 대단한 일인지 다시금 생각하게 됩니다. 그 어떤 미사여구로도 차마 수식이 안 되는 세월을 학생들과 함께해 주셔서 감사합니다. 저뿐만 아니라 많은 학생에게 도전정신과 새로운 세상을 보게 해주신 선생님께 존경하는 마음과 감사의 마음, 축하의 마음을 가득 담아 명예퇴직 후에도 늘 건강하시고 행복하시기를 바랍니다. 선생님, 사랑해요!

2021년 봄이 오는 길목에서,
선생님의 제자 김효원 올림

아무것도 염려하지 말고…

김희영

선생님~ 그동안 잘 지내셨어요?

뭐가 그리 바쁜지 별로 실상 바쁜 것도 없으면서 자주 편지도 못 드리고 이제야 편지 쓰네요. 죄송해요. 아이들 교육 문제로 순천으로 이사 온 이후로 여기 정착하고 교회에 적응하느라 많이 힘든 시간을 보냈어요. 이번 주부 터 2시간 정도 일하는 알바 자리를 구해 발달 장애 청소년 방과 후 담당으로 출근을 하고 있는데 쉽지 않은 일이라 잘 감당할 수 있게 기도하며 일하고 있습니다. 선생님 명예퇴직 소식을 들으니 너무 마음이 섭섭하고 허전했어요. 이제는 저처럼 제자들이 선생님의 깊은 사랑을 받을 수 없겠거니 생각하니 그런가 봐요. 선생님이 퇴직하신다고 하니 여러 가지 선생님과의 추억들이 떠올라요.

제가 고1 때부터 선생님과의 인연이 시작되었으니 그때가 1994년이더라구요. 벌써 27년이 지나고 28년째 선생님께 연락드리면 받아주시고 좋은 권면의 말씀 해 주셔서 너무 감사드려요. 고1 때를 떠올려보면 인생에서 가장 힘들었던 시기였어요. 우울증으로 힘든 시기임에도 나름대로 성적도 좋고 또 여러 선생님이 그런 상황을 아시고 좀 배려해 주시는 걸 보고 친구들이 질투하고 따 돌려서 결국 저는 그것을 견디지 못하고 학교를 떠나면서 대광여고를 졸업하지 못했지요. 그리고 고3 때 방송통신고등학교로 전학을 갔었지요. 그 당시에 선생님께서 반 아이들에게 그렇게 하지 말라고 달래도 보고 수없이 좋은 말씀을 해주셨어요.

그리고 제가 별로 말할 친구도 없는 학교생활에서 유일하게 제 편지를 선생님께서 받아주시고 위로도 해주시고 그러셨어요. 학교생활을 그나마 버틸 수 있었던 것은 제 편지를 받아주시는 누군가가 있었기 때문이었던 것 같습니다.

하루는 교무실 선생님 책상에 편지를 두려고 갔었는데 책상에 성경한 구절이 액자로 놓여있었어요. 빌립보서 4장 6~7절 말씀이었는데 그말씀은 아직도 암송하며 마음 깊이 새기고 있어요. 선생님은 항상 교단에서 우리가 세계를 향해 꿈을 크게 품기를 바라셨고, 가끔은 프랑스 문화와 프랑스에서의 여행 이야기들을 해 주셨어요. 그러면 반 아이들이너무 신기하고 흥미로운 표정으로 선생님의 말씀을 귀담아듣곤 했죠. 그리고 프랑스어 공부를 엄청 많이 시켜주셔서 단어테스트 시간만 되면 긴장했던 기억이 나요. ^^

> 아무것도 염려하지 말고 다만 모든 일에 기도와 간구로 너희 구할 것을 감사함으로 하나님께 아뢰라. 그리하면 모든 지각에 하나님의 평강이 그리스도 예수 안에서 너희 마음과 생각을 지키시리라.(빌립보서 4:6-7)

한번은 제가 목포에 살고 있을 때인데 선생님이 남악 도청에서 회의가 있으시다고 얼굴 보자고 하셨을 때 엄청 저 감동했었어요. 다른 제자들도 참 많으실 텐데 또 저는 선생님의 기대만큼 좋은 직업도 갖지 못하고 늘 소소한 일거리들을 하며 아이들 키우는 게 다인 저를 기억하시고 만나주신다는 게 참 감사했습니다. 하지만, 바쁘실 텐데도 스승의 날 찾아뵈면 늘 좋은 말씀 해 주셨던 기억이 가득합니다. 정말 감사합니다.

선생님! 그때가 학교 행사가 있었을 때인데요. 안 그래도 너무 멋있는 선생님께서 바이올린 연주를 하시는 거예요. 그때 정말 멋있으셨어요. 나도 꼭 커서 바이올린을 배우리라 결심했는데 아직 못 배우긴 했지만 그것도 인상적이었어요. 제가 그 전에는 글을 잘 못 썼는데요. 선생님께 편지를 자주 쓰게 되면서 글 쓰는 능력이 조금씩 더 생긴 것 같아요. 그래서 그것도 감사해요. 저는 요즘 장애인부모연대 순천시지회에 발달 장애 청소년 방과 후 담당으로 일하게 되어 이번 주부터 일하는데요. 그 아이들을 보면서 여러 가지 생각을 하게 됩니다. 처음 하는 일이라 쉽지 않지만, 사랑으로 그 아이들을 지도하려고 가기 전에 기도를 많이 하고 가요. 잘 감당할 수 있었으면 좋겠습니다. 작은 일이지만 그 작은 일에 충성을 다하면 더 큰 일도 맡겨 주신다는 것을 믿고 열심히 해보려고요.

선생님께서 퇴직하신다고 하니 이제 스승의 날 학교에 찾아가도 만날 사람도 없고 학교 갈 일도 없겠구나 싶은 것이 많이 섭섭하지만, 그래도 한편 선생님께서 이제 퇴직 이후 어떻게 활동하실지에 대한 기대도 돼요. 37년 동안 교직에 몸담으신 선생님을 정말 존경합니다. 그리고 한결같은 사랑으로 제자들을 훌륭한 사람들로 키워내신 열정을 또 존경합니다. 그래서 선생님처럼 열정 많은 사람으로 살고 싶고 많은 사람을 빛 가운데로 돌아오게 하는 사람으로 살고 싶어요. 앞으로 저를 인도하실 하나님을 기대해 봅니다.

저는 코로나 시대이지만 외롭지 않으려고 애쓰며 성경과 신앙 서적도 읽고 가족들에게 모처럼 맛있는 음식도 해주면서 소소하지만 확실한 나만의 행복을 찾으려고 애쓰며 살고 있어요. 날씨가 너무 추워지고 오늘은 눈이 많이 왔답니다. 눈이 잘 안 오는 순천에도 눈이 왔다면 광주는 더 많이 왔을 거 같아요. 건강 조심하시고 다음에 또 편지 드릴게요. 이제 퇴직하시면 집 주소로 편지 보내야 하는데 혹시라도 이사 가시거나 하면 꼭 연락주셔야 해요. ^^ 선생님의 사랑에 늘 감사해요. 선생님, 사랑하고 축복합니다.

선생님, 여고생이던 제가 두 아이의 엄마가 되었답니다.

내 인생에서 가장 축복받은 시간

노윤아

먼저 산 사람이라는 뜻의 '先生'은 먼저 살았던 삶과 지혜를 나누는 데 소명을 가진 사람이리라⋯ 내 인생에서 가장 존경하는 분이자, 선생이란 소명의 실천을 위해 평생 교단에서 애쓰신 양수경 선생님과의 인연은 어느덧 32년이 지났다.

고등학교 1학년 때, 나의 담임선생님이셨던 양수경 선생님은 유난히 큰 눈과 또랑또랑한 목소리로 카리스마 있게 우리를 압도하는 무서운 선생님이라는 기억과 정의롭고 강한 여성의 힘이 느껴지는 그런 선생님이셨다. 하지만 불어 수업만큼은 세상 부드러운 발음으로 우리를 파리지앵으로 만들어주셨고, 불어라는 언어를 통해 프랑스를 동경하게 해주셨다. 또한, 우리에게 넓은 세계관을 심어주셨고 각각의 재능을 커다란 세상 속에서 꽃 피울 수 있다는 확신을 주셨다. 선생님과의 수업은 불어만 습득하는 시간이 아닌 우리의 마음속에 꿈과 희망의 씨앗이 심어지는 귀한 시간이었을 거로 생각한다. 그렇게 선생님과 함께 한 나의 1-3반은 가장 웃음이 많았고 행복했던 고등학교 시절의 추억으로 남아 있다. 우리를 끔찍하게 아껴주셨던 선생님과 지금까지도 나의 가장 소중한 친구 난경이를 만날 수 있었던, 내 인생에서 가장 축복받은 시간이었다고 생각한다. 훌쩍 사회인이 되어 다시 만난 선생님은 세월의 지혜와 통찰이 묻어나는 좋은 말씀들을 아끼지 않으셨고, 또한 제자의 앞날을 진심으로 응원해주시는, 아직도 그때의 열정과 감성이 변치 않는 선생님이셨다.

선생님과 만남 후에 또 다른 선생님의 팬이 생겼는데, 그 팬은 나의 아들이다. 내 아들이 초등학교 6학년 때, 엄마가 그토록 존경하는 엄마의 은사님은 어떤 분이신지 너무 궁금해하고 만나 뵙길 원해서 아들과 나는 선생님과 몇 번의 만남의 자리를 가졌었다. 처음 만난 자리에서부터 선생님의 말씀 한마디 한마디에 아들은 가슴으로 동화되어 선생님을 무척 따르고 좋아했다. 심지어 서울에서 선생님과의 약속을 선생님 아버님 소천 소식으로 취소되었음을 우연히 듣게 된 아들은 본인의 학교수업보다도 선생님을 위로해드리러 KTX를 타고 장례식장에 꼭 같이 가자고 했을 정도였다. 선생님도 그런 제자의 아들을 진심을 다해 사랑으로 대해주셨고 꿈을 향해 나아갈 수 있게 조언을 아끼지 않으셨다. 선생님께서 나에게 이 아이가 꿈을 품고 바르게 자라 사회를 위해 크게 이바지할 수 있는 아이로 자라도록 함께 노력하자고 말씀해 주셨을 때, 선생님께서 지금까지 이러한 교육적 가치관을 마음에 품으시면서 학생들을 대하셨음을 느낄 수 있었다. 선생님은 지금까지 교육자의 길을 걸어오시면서, 제자 한명 한명이 사회에 크게 쓰임 받을 수 있는 사회인이 되길 바라는 마음과 소명을 가지고 가르치셨으리라.

92년도 졸업생인 나는 복장 자율화의 혜택을 누렸던 학생이었다. 하지만 내가 졸업 후 교복을 입게 된 후배들은 교복에 대한 불만의 목소리가 나오기 시작했고, 늘 학생 편에 서서 마음을 쓰셨던 양수경 선생님은 그런 상황이 못내 아쉬웠던 모양이다. 그즈음 나는 패션디자이너로 활동했고 대학에서 패션을 가르치고 있었기에, 선생님으로부터 선배 졸업생으로서 후배들을 위해 교복디자인을 맡아주면 어떻겠냐는 제안을 받았고 나는 모교를 위해 뜻깊은 일이라 생각되어 흔쾌히 재능기부 제안을 받아들였다. 내가 졸업한 모교와 나의 후배들을 위해 재능기부를 한다는 것은 내게도 감동을 주는 일이었기에 나는 즐거운 마음으로 참여했다. 1-3반 같은 반이었던 내 평생 베프라 할 수 있는 난경이가 니트 디자인을 맡아주어서 디자인이 진행되는 동안 더없이 즐겁게 작업할 수 있었다. 뉴욕에서 인정받는 디자이너로 일하고 있는 난경이의 능력과 조언이 없었더라면 아주 고되고 힘든 작업이었을 거라 생각되어서 다시 한 번 난경이에게 고마움을 전한다. 디자인 작업을 하며 중간 프레젠테이션을 하러 갔을 때, 학생들이 복도에서 카-악 소리 지르며 새로 바뀔 교복디자인에 대해 보여줬던 높은 관심은 지금도 잊혀지지 않는다. 그 모습들을 보며 내가 하고 있는 일에 커다란 자긍심을 느꼈고 더욱 열심히 하게 되는 큰 원동력이 되어, 대광 후배들이 자긍심을 느낄 수 있는 교복이 될 수 있게 나는 최선을 다했다. 프랑스정부의 초대를 받으셔서 제자들과 함께 엘리제궁에서 교복을 입고 찍은 사진을 보았을 때는 정말 황홀하고 감격스러운 마음이었고, 프랑스 정부 관계자로부터 교복이 예쁘다는 칭찬을 들었다는 소식을 전해 들었을 때는 내 인생에 가장 의미 있고 보람 있는 일을 해낸 생각에 가슴이 벅차올랐다. 내 인생에 가장 값진 추억을 만들어주신 양수경 선생님께 다시 한 번 무한한 감사를 느낀다.

선생님은 아직도 내게 최고의 롤모델인 교육자이시다.
나도 학생들을 가르치는 자리에 서니, 선생님의 인생관과 교육관이 더욱 깊이 마음에 와닿는다. 늘 한결같이 제자들을 사랑하시는 모습에, 사랑을 베푸는 법을 배우고, 더욱 재미있고 효과적인 수업을 위해 프랑스에서 직접 구해오신 학습자료 활용 등, 늘 학생들을 위한 교수법을 연구하시는 모습에, 진정한 가르침의 의미와 자세를 배우고, 늘 배움이 있고 울림이 있는 지혜를 나누어주시는 모습에, 내가 지향해야 할 삶의 철학을 배운다.

그런 선생님의 모습을 보며, 나는 다짐해본다.
선생님처럼 학생들을 위해 지식뿐만이 아닌 지혜를,
현실뿐만이 아닌 이상을,
생각뿐만이 아닌 사랑으로
옳은 길, 바른길로 인도하면서, 진정 학생들에게 도움이 되는 학습을 연구하는 선생이 되겠노라고.

지금까지 학생들의 편에서 큰 버팀목이 되고자 노력하시며 한 길만 걸어오신 선생님!
그 긴 시간 환하게 웃음 짓던 뒤편에는 얼마나 고된 일, 억울한 일, 속상한 일들이 많으셨을지요. 저희 제자들을 위해 모든 어려움을 감내하시며, 묵묵히 교단을 지켜오셨던 그 큰 사랑에 다시 한 번 감사드립니다.

이제 새롭게 시작될 선생님의 인생 2막을 기대하고 응원합니다!!
또 다른 출발선 위에 서서 흔들림 없는 인생관을 바탕으로 용기 있게 나아가실 양수경 선생님을 응원하며 앞으로 선생님께서 이루어 가실 일들에, 모든 제자가 응원하며 선생님께 박수를 보내드립니다.
언제나 어디서나 무엇을 하시든 멋지게! 선생님답게! 또 다른 삶에서도 승승장구하시며, 행복만이 가득하시길 바랍니다.

선생님은 사랑입니다···.♥♥♥

불어동아리와 불어 펜팔친구

류형원

2018년, 제가 2학년 때 담임선생님으로 선생님을 처음 뵙게 되었는데, 선생님을 만난 지 벌써 3년 정도가 되어가네요. 불어동아리를 하면서 동아리 친구들과 함께 축제 홍보지도 만들었던 기억이 정말 얼마 전의 일인 것 같은데 벌써 성인이 되어서 선생님께 편지를 쓰고 있다는 게 정말 신기한 것 같아요.

선생님이랑 1년 동안 많은 일이 있었는데, 특히 기억에 남는 거라면 불어동아리 활동을 했던 기억인 것 같아요. 선생님을 만나지 않았더라면 배울 기회가 없었을 불어인데, 동아리 활동을 하고 선생님과 조선대학교에 계신 불어과 교수님을 만나서 이야기도 들어봤던 게 당시에는 그렇게 크게 다가오지 않았는데 이제 와서 돌아보니 남들은 할 기회가 없었던 귀중한 경험이고 추억이었어요.

불어를 배울 당시에 프랑스에 있는 펜팔친구를 만들었던 것도 생각이 나는 것 같아요. 불어 연극을 짤 당시에 이런 부분은 어떻게 써야 하는지를 물어보기도 했었거든요. 축제 때 전시할 걸 만들기 위해서 프랑스에 대해 조사할 때도 도움을 받기도 했고요. 제2외국어로 불어를 배우게 될지는 몰랐는데, 흔히 접할 수 있는 다른 외국의 문화를 배우기보다 조금은 생소한 곳의 문화를 접하게 된 것도 많은 경험이 되었던 것 같아요.

그리고 정말 2학년 때 인상 깊었던 것이 부모님이 선생님과 상담하고 나서였는데, 어머니가 상담하고 나서 선생님이 저에 대해 해주신 말을 저에게 해주셨는데 저도 몰랐던 제 성격에 대해 너무 잘 알고 계셔서 들으면서 깜짝깜짝 놀랐던 것 같아요. 그렇게 티 나게 행동하지 않았던 것 같은데 선생님이 그걸 걸리셨던 게 너무 신기했고 듣고 나서는 선생님께서 말을 안 하셔도 되게 많은 걸 보고 학생을 파악하시는구나! 라고 생각했던 것 같아요.

선생님이 제게 조금 더 활동적으로 하고 싶은 말을 하라고 응원해주신 것도 생각이 나는데, 그 이후로 알고 있어도 굳이 나서지 말아야지, 싶을 때마다 선생님 말씀이 생각나서 그래도 조금 더 나서서 뭔가를 말해보려고 노력했어요. 성격에도 긍정적인 영향을 미치게 된 것 같아서 감사합니다.

반수를 결심하게 되었을 때도 생각이 나는데, 대학에 붙었는데도 따로 하고 싶은 일이 생겨 시험을 다시 봐야 하나? 라고 생각하면서 선생님을 뵈러 갔었는데, 굉장히 응원해주셨던 게 정말 감사했던 것 같아요. 해야겠다고는 생각하면서도 여러 가지 이유로 주저하던 참이었는데 선생님 말씀을 듣고 해도 되겠다고 생각했고, 시험을 다시 봤을 때도 생각했던 것만큼 결과가 나오지 않았어도 결심을 후회하진 않았던 것 같아요.

선생님을 뵙게 된 지 그렇게 오래된 것은 아니지만, 은퇴하신다는 소식을 듣고 매우 아쉬웠어요. 고등학교 학교생활 중 저에게 좋은 영향을 많이 끼치신 분이었고, 꼼꼼히 잘 챙겨주신 게 기억에 남아서 다른 학생들도 저 같은 감정을 느꼈으면 좋겠다고 생각했었거든요. 교직 생활 동안 수고 많으셨고, 저에게 좋은 선생님으로 많은 것을 알려주셔서 감사합니다!

위로와 영감을 준 교류

모지향

양수경 선생님께

치열하게 살던 저의 고등학교 생활을 돌아보았을 때, 선생님과 함께 공부했던 순간만큼은 입시 스트레스에서 벗어나 진정한 배움과 여유를 느꼈던 것 같습니다. 그 즐거웠던 기억이 제가 지금까지 프랑스어를 공부하고, 선생님의 길을 따를 수 있게 한 원동력이 아니었나 싶습니다.

선생님으로부터 배운 건 프랑스어뿐만이 아니었습니다. 자신이 하는 일을 사랑하며 자기 역할에 대해 책임감을 느끼는 것. 교단에서 내려오기로 하신 지금까지도 변치 않는 선생님의 그러한 모습이 제가 걸어 나가야 할 길을 조금 더 뚜렷하게 그릴 수 있게 합니다.

학업을 넘어서, 선생님과 맺은 인간적인 교류는 저에게 많은 위로가 되었고 더 큰 영감을 주었습니다. 좀 더 가까이에서 선생님을 지켜볼 수 있도록 곁을 내어주신 선생님 덕분에 저는 버겁기만 했던 기나긴 여정 중 그 그늘에서 잠시 쉬어갈 수 있었습니다. 입시 준비로 정신 없이 흘러가던 고등학교 삼학년 때, 아침 이른 시각 틈내서 해주신 수업 중 함께 나눠 먹었던 상큼한 과일의 맛과 프랑스에 대해 가슴 벅차게 이야기하던 그 순간들이 아직도 생생합니다. 어떤 일을 즐기면서 하는 기분이 어떤 것인지 그 순간 어렴풋이 느낄 수 있었습니다. 선생님과 함께한 그 순간들이 저에게 추억이 될 수 있었던 것은 선생님께서 저희 학생들을 진실한 마음으로 사랑해 주셨기 때문일 겁니다.

고등학교를 졸업하고도 십여 년이 지난 지금까지도 선생님과의 인연이 계속될 수 있는 이유도 제자에 대한 선생님의 따뜻한 마음 덕분이라고 생각합니다. 그런 선생님께서 교단을 조금 일찍 떠나신다고 하니, 소중한 가르침과 따뜻한 마음을 경험한 제자로서 많은 아쉬움이 남습니다. 하지만, 한편으로는 베풀어주신 사랑을 이제 저희들이 갚을 수 있는 시기라는 생각이 듭니다. 그런 마음에서 인생의 새로운 장을 시작하실 선생님께 진심 어린 축하와 응원을 전하고 싶습니다. 선생님, 그동안 베풀어주신 가르침과 사랑 잊지 않겠습니다.

선생님, 사랑합니다. 그리고 감사드립니다!

그때는 왜 그렇게 잠이 많았을까요?

문기랑

이제 제 나이도 어느덧 30대 중반에 접어들어서 15년 이상 된 이야기이지만, 고등학교 때는 잠이 무척 많았습니다. 지금 생각해 보면 어떻게 그렇게 많이 잤을까 생각이 들지만, 그때는 왜 그리 잠이 많았는지… 분명 저녁에 충분히 자는데도 수업 시간엔 어찌 그리 졸립던지요. 혹시 기면증이 아닐까 생각이 들 정도로 수업시간에도 졸고, 쉬는 시간에도 엎드려서 자고 하는 패턴이 반복되었습니다.

불어 수업시간도 예외는 아니었습니다. 분명 선생님은 간결하고 임팩트 있는 수업을 하심에도 불구하고 여지없이 저는 졸게 되었고, 결국 교실 뒤에 나가서 의자를 들고 벌을 서게 되었습니다. 너무 대놓고 머리를 흔들며 졸아버린 탓인지 선생님께서 화가 나셔서 제 팔에 '수업시간에 졸지 말 것!'이라고 적으시고 1주일간 지워지지 않게 유지하라 하셨던 기억이 어렴풋이 납니다. 비단 불어 시간 뿐만이 아니라, 거의 모든 과목 수업시간에 많이 졸아서 각종 벌을 받았던 기억들이 스쳐 지나가네요.

그때는 왜 그렇게 잠이 많았을까요. 어려운 불어를 명확하고 쉽게 알려주셨었는데, '선생님과의 일화를 떠올려보자!' 했을 때 처음 생각나는 건 역시나 혼났던 기억인 것 같습니다.

2학년 때 불어 수업이 시작되고 몇 번 안 되었을 때의 일인데, 수업시간에 졸았던 게 너무 죄송해서 교무실로 찾아가 죄송하다고 말씀드렸던 기억이 납니다. 호되게 혼나긴 했었지만, 선생님께 혼난 이후로 더욱 선생님과 가까워진 느낌이 들었습니다. 인간적이고 정감 있게 챙겨 주시던 모습에 저도 더 열심히 해서 좋은 성적으로 보답하려고, 매시간 보던 불어 쪽지시험과 중간·기말고사에서는 불어 과목 100점을 맞기 위해 정말 열심히 공부했던 게 생각납니다.

선생님께서 명예퇴직 소식을 알려 오셨습니다. 30년 이상 묵묵히 같은 직장에 같은 시간에 출근해서 업무를 보고 퇴근하고….
정말 긴 세월을 학생들을 위해 교단에서 보내시면서 보람찬 일도 많으셨겠지만, 힘든 일도 많으셨겠지요. 저의 부모님도 모두 교직에 계셨던 탓에 선생님께서 30년 이상 교직에 계셨던 시간들이 더 뭉클하게 다가옵니다.

학창시절 저의 기억에 의하면, 선생님은 항상 분명한 목표를 제시하시고, 매시간 그것을 성취하도록 북돋아 주시면서 완성도 높은 짜임새 있는 수업을 하시는 분이셨습니다. 분명 그 뒤에 많은 시간의 수업준비와 끝없는 노력들이 있으셨겠지요.

그런 노력을 알아주는 학생들이 있었음을 기억하셨으면 좋겠습니다. 비록 교단과의 이별은 아쉽지만, 인생 1막을 성공적으로 마무리하고, 이제 조금 쉬어가시면서 선생님만의 인생 제2막을 맞아 더욱 건강하고 행복한 시간들을 보내시길 바라고 응원합니다.

선생님, 정말 오랜 시간 열정을 다해 한결같이 걸어오시느라 정말 수고 많으셨습니다!!

불여우

박기리

선생님의 명퇴 소식을 전해 듣고 잠시 고교 시절을 되돌아봅니다. 처음 접해보는 '불어' 라는 과목에 호기심도 있었지만, 그 당시 선생님의 강한 이미지와 카리스마에 어지간히 당황했던 거 같아요. 우리에게 '불여우' (선생님은 프랑스 여자 배우로 착각하고 계실 수도!)로 불렸고 그러나 동시에 다들 무서워 벌벌 떨었던 거 아세요?

아직도 그러신지 궁금도 해요. 그래도 저에겐 선생님 방식으로 예쁨 많이 주신 거 알아요. 제겐 참 따뜻하셨던 거 같아요. 저 불어 공부 나름 열심히 한 거 아시죠? 저도 선생님 많이 좋아했었던 거 같아요. 선생님 결혼식에 서울까지 올라가 바이올린 축주 해드린것도 기억에 많이 남구요. 졸업하고 후배들 축제에 초대받아 연주한 것도 좋은 추억으로 남아있어요. 최근까지도 가끔 선생님 뵈었지만, 진짜 하나도 안 변하시고 그대로이신 거에 좀 놀랐어요. 그런데 이제 교단을 떠나신다니 1회 졸업생으로서 참 많이 서운합니다. 대학 졸업과 동시에 시작된 37년의 교직 생활이 보람도 되셨겠지만 힘든 일도 많으셨으리라 감히 상상해봅니다. 한 자리에서 그 긴 세월을 보내셨다는 게 존경스럽습니다. 비록 교단은 떠나시지만, 또 다른 모습으로 더 멋지게 살아가실 걸 믿어 의심치 않습니다.

선생님! 남은 인생의 후반전을 응원합니다. 사랑합니다♡

위로가 필요한 학생들

박미현

고등학교 시절을 생각하면 3년이라는 시간 중 대부분 시간을 그냥 무의미하게 보냈던 기억이 대부분이다.

질풍노도의 시기. 사춘기쯤이었을까? 그냥 아무런 이유가 없었다. 그냥 학교 가기 싫고, 그냥 아무것도 하기 싫고, 그냥 아무도 싫었다. 그런 시기에 나를 찾아와주신 분이 바로 양수경 선생님이셨다. 처음부터 선생님의 존재가 그 누구도 시간 속에 의미 있는 존재로 다가왔던 건 아니고 계기가 있었다.

함께 무의미한 시간을 보내던 친구 중 몸이 허약한 친구가 있었다. 가정형편이 어려운 중에도 운동하던 친구였는데, 지금 생각해보면 영양실조였던 것 같다. 그 친구가 쓰러져서 기운을 차리지 못하는데, 학교에 서 있는 듯 없는 듯 다니던 학생이었고 오히려 없어도 별반 티 나지 않는 학생이었기에 어떤 선생님도 그 친구를 염려해 주지 않았다.

그런데 유일하게 그 친구의 속사정을 물어봐 주시고 병원비까지 주셨던 분이 양수경 선생님이셨다. 선생님께서 보여주셨던 그 마음이 느껴졌을까? 그때부터 유일하게 열심히 참여했던 수업이 프랑스어 수업이었다. 잘 하지는 않았지만, 대답하기 위해 복습도 하고 옆 반 친구에게 교과서를 빌려와 예습까지 했던 유일한 과목이었다.

학교가 집이랑 가까워 선생님의 출퇴근 시간이면 가끔 뵐 때가 있는데, 신기하게도 학교생활이 힘들 때면 '짠~' 하고 마주치게 되는데,

"똥개"라고 한 마디 불러주시면, 힘이 나고 힘들던 일도 이겨낼 힘이 된다. 별말 아니지만, 관심법으로 그 안에 모든 말이 함축된 느낌이랄까? ㅎㅎ

선생님!

선생님의 퇴직 소식에 한동안 눈물만 흘리고 있었습니다. 지금도 괜히 선생님 생각만 하면 눈물이 납니다. 제가 퇴직을 하는 것도 아닌데 많은 아쉬움이 저를 감싸도 도네요. 이번에 재임용 면접에서 교직관을 물어보셔서 대답하는데, '고등학교 때 은사님과 같은 교사가 되고자 한다'라는 말에 저도 모르게 눈물이 나서 대답을 다 하지도 못하고 울었습니다. 하아....

그냥…. 선생님께서는 영혼까지

불 때우고 퇴직하시는데, 선생님께 좀 더 좋은 모습을 보여 드리지 못한 것 같아 죄송한 마음이 너무 컸던 것 같아요. 이런 죄송한 마음을 표현할 때마다 그게 무슨 소리냐고 다독이셨지만, 항상 마음 한쪽에 그런 마음이 자리 잡고 있었는데 '퇴직'이라는 단어가 도화선이 되어 폭발했던 것 같아요.

참 신기한 건 제가 학교 일에 힘들 때, 우연히 선생님을 마주치게 된다는 거예요. 선생님께서 "똥개" 이렇게 한 마디 해주셨을 뿐인데, 그 힘들었던 마음에 위로가 되더라고요. 분명 후배 중에서도 저처럼 선생님의 따뜻한 위로가 필요한 학생이 있을 텐데, 더는 그런 위로를 받지 못한다니……. 많이 아쉽습니다.

그동안 열심히 일한 선생님 이제는 좀 휴식이 필요하시다니…….
그동안 선생님의 열심을 알고 있기에 그 휴식 허락할게욤 ^^;;;;

어떤 모습의 저라도 항상 뒤에서 응원해주셨던 선생님께 감사드리며, 여전히 변함없이 저의 든든한 기둥이 되어 주세요~

내 인생의 터닝포인트

박성하

고등학교에 입학해서 1학년 2학기 때 선생님을 처음 만났다. 프랑스어라는 과목이 꽤나 호기심을 자극했고 새로운 언어를 배울 수 있다는 기대감이 컸었던 것 같다. 모든 학생이 그렇겠지만 선생님과의 첫 만남에서 압도되지 않을 학생은 없었을 것으로 생각한다. 나 또한 그랬다. 하지만 그것이 나에겐 긍정적인 방향으로 작용했던 것 같다.

선생님을 만나게 된 것이 결과적으로 내 인생의 터닝포인트가 되었으니 말이다. 고등학교 때 내 모습을 돌아보면 선생님의 눈에 들고 싶어서 정말 열심히 공부했고 수업시간에 무던히 노력했던 것 같다.

때로는 내 맘처럼 프랑스어가 외워지지 않고 나보다 더 잘하는 친구들을 볼 때면 좌절하기도 했었다. 하지만 지금 돌이켜보면 이런 내 마음을 선생님도 그때 다 알고 계셨던 것 같다.

고등학교 시절 불사조(불어를 사랑하는 조직)가 항상 함께했었다. 사진을 편집하다 보니 지금까지 연락하고 지내는 친구들도 있지만, 고등학교 이후 보지 못한 친구들도 보여서 굉장히 그립기도 하고 선생님의 젊은 시절 사진을 보니 굉장히 새롭기도 하다. 학창 시절 가장 기억에 남는 선생님과의 일화 하나를 이야기해 보려 한다.

고등학교 2학년 때였다. 그때 나는 프랑스어 외에는 관심이 없었다. 아침 자습시간에도 프랑스어 공부, 저녁 자습시간에도 프랑스어 공부 항상 프랑스어만 했다. 그렇다고 엄청 프랑스어를 잘하거나 하지 않앉지만, 그냥 좋았다. 물론 그렇게 했기에 시험을 보면 프랑스어는 거의 만점이었던 것 같다. 하지만 다른 과목들은 그렇지 못했다. 나는 학교 다닐 때 중하위 성적이었다. 이런 내가 다른 과목을 해도 모자랄 판에 흔히 말하는 비중이 그리 크지 않은 과목만 주야장천 파고 있으니 담임 선생님 눈에는 별로 좋아 보이지 않았던 것 같다.

어느 날 양수경 선생님께서 교무실로 따로 부르셔서 나에게 노트 한 권을 주셨다. 그리고 나에게 메일 한두 장씩 이 노트에 수학 문제를 풀어서 채워오라고 하셨다. 후에 이 일이 담임선생님께서 성하가 수학 공부를 안 한다는 말씀을 전해 듣고 양수경 선생님이 나에게 미션을 내린 것이라는 것을 알게 되었다. 그때까지만 해도 나는 아직 철이 없고 겁이 없었던 것 같다. 이 말이 무슨 의미 인지 나중에 이해하실 수 있을 것이다.

나는 과목 중에 특히나 수학을 정말 정말 싫어했다. 그런데 나에게 하루에 한두 장씩 수학을 풀어 오라는 것은 정말 어마어마한 과제였다. 이 과제를 하루 이틀 미루다 보니 어느덧 선생님께서 과제를 내주신 날이 다가왔고 나는 처음 몇 장만 한 노트를 가지고 갔다. 나는 그날처럼 선생님께서 나에게 화를 내시는 모습을 지금까지 본 적이 없다. 선생님께서는 약속을 지키지 않았던 나에게 그날 선언을 하셨다. 나는 너를 앞으로 투명 인간으로 대하겠다고

그리고 그 말씀을 정말로 실행에 옮기셨다. 그날 이후로는 나는 존재하지만 존재하지 않는 사람이 되었고 프랑스어 수업시간에 철저히 제외되었다. 물론 그날 이후 나는 계속해서 선생님께 찾아가 죄송하다는 말씀과 함께 앞으로 다른 과목을 열심히 하겠다는 말씀을 드렸지만 아무 소용이 없었다. 오히려 관계를 더 악화시키는 듯했다. 그렇게 꽤

오랜 시간이 흐르고 열심히 하는 내 모습을 보시고 선생님께서 다시 나를 부르셨다. 그리고 다시 이야기를 나누고 나는 앞으로 다른 과목도 열심히 하겠다는 약속을 한 후 다시 선생님과의 관계를 회복할 수 있었다. 그 덕분이었는지 그래도 다른 과목들도 조금 하게 되었고 그나마 그 덕분에 내가 대학에 진학할 수 있었던 것 같기도 하다. 남은 고등학교 생활 기간 축제도 하면서 프랑스어 부스도 운영해 보고 프랑스어 자격증도 따고, 프랑스어 부장도 하면서 꽤나 만족스럽고 즐거웠던 고등학교 생활을 했었던 것 같다. 나는 대학 진학 시 프랑스어 학과를 목표로 했었으나 실패하였고 대신 영어를 전공하게 되었다. 그 당시에는 프랑스어 학과에 진학하지 못한 것이 굉장한 실패로 다가왔으나 지금은 고등학교 때 배웠던 프랑스어가 영어 강사로 일하고 있는 나에게 굉장한 도움이 되어주고 있다.

고등학교 졸업 이후에도 선생님은 나에게 좋은 멘토이자 스승으로 지금까지 함께 해주고 계신다. 내가 미국으로 어학연수를 가기 전에도 선생님께서는 많은 부분을 조언해주시고 내가 출국하기 전날 우리 집 앞으로 와주셔서 미국에 가서 열심히 잘 해낼 그것이라고 응원해주시고 또한 나의 안전과 건강을 위해 같이 기도해 주셨다. 미국에 있을 때는 메일로 항상 나의 안부를 물어 주시고 염려해 주셨다. 미국에서 돌아와 결혼할 때도 선생님은 나와 함께해 주셨다. 결혼할 사람이라고 지금의 남편을 데리고 인사를 갔을 때도 선생님께서는 너무나 반겨 주셨고 좋아해 주셨다. 그리고 결혼식에 오셔서 나의 앞날을 축복해 주셨다.

나의 첫 아이가 태어났을 때도 둘째가 태어났을 때도 선생님께서는 정말 정말 기뻐해 주시고 아이들을 사랑해 주셨다. 어느덧 선생님과의 첫 만남 이후 20여 년이라는 시간이 지나 나도 40을 바라보는 어른이 되었고 선생님께서는 퇴직을 바라보고 계신다.

사실 나에겐 작은 꿈이 있었다. 우리 아이들도 선생님의 제자가 되어 프랑스어를 배웠으면 좋겠다라는 꿈이 있었다. 현실적으로 굉장히 어려우리라는 것을 알지만 선생님의 열정과 따스함을 느끼고 알게 서 더욱 많은 사람에게 영향력을 끼쳐 주시기 바랍니다. 사랑하고 응원합니다. 항상 건강하세요.

수업준비가 완벽해야!

박소연

대광여고 1회 박소연입니다.

양수경 선생님과의 첫 만남은 수업시간 전부터 긴장감으로 시작됐었죠~ 엄격하다고 소문난 불어 시간에는 책상 줄 맞추기부터 교과준비까지 완벽해야만 하는 시간이었어요. 열정적인 선생님의 수업은 엄격했지만, 여자 시간 감독으로 우리 반에 오셨던 선생임은 너무나 다정다감하신 분이셨어요. 전 선생님의 매력에 빠져 찐팬이 됐죠. 1회라 특별히 더 예뻐해 주시고 챙겨주신 그 맘 감사해요.

졸업 후 제일 생각나는 선생님이셨는데, 다른 애들은 우연히 길에서 마주친 적도 있다던데 전혀 만나 뵙지 못해 맘속으로 그리워만 했었죠. 학교로 찾아가서 뵐 생각은 수줍어서 하지도 못하고~~

꽤 많은 시간이 흘러 정말 우연히 길에서 마주친 선생님~

먼저 알아봐 주시고 기억해주셔서 얼마나 좋았던지요~♡

그 후론 종종 연락도 드리고, sns를 통해서 소통도 하며 너무 좋았어요. 학창시절이 엊그제 같은데 어느덧 선생님도 저도 같이 나이 들어가고 있네요. 아름다운 동행으로 오래오래 향기로운 인연 이어가요. 선생님~♡

정말 merci 했습니다

박수진

양수경 선생님 안녕하세요!

대광여고에 입학하여 1학년을 다니는 동안 대광여고에는 제2외국어가 타 학교에 비해 특별하게 불어가 있다는 것을 알았어요. 무슨 이유인지 정확히 모르겠는데 저는 1학년 때부터 불어가 끌렸답니다. 아니나 다를까 2학년 때 반 편성을 할 때 저는 제2외국어가 불어인 분반을 선택하였고 선생님 수업을 들을 수 있게 됩니다! 정말 영광이었고 재밌는 시간이었어요.

불어 수업을 하는 동안 사용했던 교재, 부교재 아직도 버리지 않고 집에 잘 보관 중입니다.ㅎㅎ 학교 다니면서 불어 수업할 때 제 계획 중 하나가 대학생이 되면 꼭 프랑스를 비롯한 유럽여행을 가서 '프랑스에서 불어를 사용해봐야겠다' 였어요. 꿈에 가득 차 재작년에 친구와 유럽을 가자고 약속하고 열심히 돈을 모았으나 친구가 준비되지 못하여 결국 프랑스 여행은 무산이 되고 맙니다. 유럽이 아무래도 소매치기도 심한 도시이다 보니 혼자서의 여행은 마음먹기가 쉽지 않더라구요. 그렇게 못 가서 아쉬웠지만 임용되면 방학도 있으니 그때라도 다녀와야겠다고 했는데 코로나가 발목을 잡네요. ㅎㅎ

꼭 저 임용된 이후에는 코로나가 완벽히 사라져 해외로의 왕래가 자유로워졌으면 좋겠어요! 그 안에 꼭 임용 붙을 거예요. ㅎㅎ그게 바로 올해 11월 시험입니다. 욕심도 많아서 하고 싶은 것도 많아 하고 싶

으면 꼭 다 해야만 직성이 풀리는 성격이라 요즘 부지런히 살고 있어요. 그중 하나가 유튜브구요:-)

항상 수업이며 생활지도며 모든 부문에서 열정 가득하신 선생님께서 명예퇴직을 하신다니 아직도 실감이 나지 않아요. 대광여고로 찾아뵈러 가면 언제나 계실 것 같아요. 제가 고등학교 다니는 3년 동안 선생님께 정말 merci 했습니다. ㅎㅎ 지금까지 저희 지도하시느라, 수업하시느라 정말 고생 많으셨죠? 이제 선생님께서 하시고 싶은, 누리고 싶은 일 모두 하시면서 선생님의 하루하루를 즐기시고 행복하셨으면 좋겠어요^^

명예퇴직을 진심으로 축하드립니다. 올해 소띠 해인 만큼 소띠인 저에겐 더 특별한 해인 것 같은데 선생님께서도 올해 명예퇴직이라 특별한 해가 되실 것 같아요.

선생님도 앞으로 꽃길만 걸으며 임용 최종합격 결과 들고 찾아뵙겠습니다. 사랑합니다.

유일한 남학생 제자

박오른

양수경 선생님과는 2013년 여름에 처음 알게 되었습니다. 저는 당시 광주 고려고에 재학 중이었고 양수경 선생님은 대광여고에 재직 중이셔서 사실 선생님을 만나 뵐 수 있는 접점 자체가 없었습니다. 선생님을 알게 된 것은 '전국 고등학생 프랑스어 시 낭송 대회'에 참여하게 되면서부터였는데요. 광주에서는 광주 시내 일반고에서 제2외국어를 가지고 전국 대회에 참가하는 경우가 매우 드물었는데 일반고 학생이 제2외국어 전국 대회에, 더군다나 프랑스어 시 낭송 대회에 나간다니 당시 광주시 불어 교사 협회장으로 계셨던 양수경 선생님 귀에 곧바로 들어가게 되었죠.전국 고등학생 프랑스어 시 낭송 대회는 프랑스문화원 및 한불문화 재단에서 주최하고 프랑스어 교사협회에서 주관하는 대회입니다.

저는 예선에 통과되어 본선을 준비해야 했습니다. 당시 고려고 불어 선생님이신 문형수 선생님(현 고려고 교장 선생님)께서 대광여고 양수경 선생님께 부탁했으니 연락드려보고 스케줄을 잡으라고 하셨습니다. 저는 혼자서 본선 준비를 할 생각에 막막했는데 마침 도와주실 분이 계시니 얼마나 감사가 되었던지. 그렇게 그날 양수경 선생님께 연락을 드렸는데 그날은 양수경 선생님께서 매우 바쁘셔서 통화를 짧게 했던 거로 기억합니다. ㅎㅎ

그렇게 선생님과 통화를 나누고 본선까지 충분한 시간적 여유가 없어 곧바로 선생님과 직접 만나 콩쿠르 준비를 하게 되었는데요, 진월동

포도원 교회(?) 앞에서 처음 선생님을 뵈었고, 근처에 있는 카페에 가서 선생님께 1:1 지도를 받으며 콩쿠르 준비를 했습니다. 양수경 선생님은 여고에 계시고 저는 남학생이라 연습할 장소가 마땅치 않았는데 나중에 알고 보니 선생님께서 카페 사장님께 사용료를 주고 카페 안쪽 칸막이가 되어있는 곳에서 시 낭송 본선 나갈 때까지 카페를 드나들며 연습을 할 수 있었습니다.

카페에서 1:1로 지도를 받는데 제가 불어로 시 낭송을 할 때 발음부터, 억양, 호흡, 음절과 음률을 끊는 지점, 제스쳐, 목소리 크기, 시선 처리 등등 어떻게 해야 하는지 선생님께서 하나하나 짚어주셨고, 선생님께서 지도해주신 방법에 따라 하나하나 고쳐나갔습니다.

저는 저희 불어 선생님인 문형수 선생님으로부터 과거 양수경 선생님께서 전국 고등학생 프랑스어 시 낭송 대회에서 외국어고 고등학교 팀 예선 심사하셨다는 말씀을 들었습니다. 지도해주시는 과정에서 선생님께선 저한테 일방적으로 지도하시지 않으셨고, 어색한 부분, 고쳐야 할 부분, 짚고 넘어가야 할 부분에 있어서 제가 어떻게 생각하는지, 제가 어떻게 느끼는지 등에 대해서 제 이야기를 꼭 물어보시고 들어보신 후에 방향을 제시해주셨습니다. 학생의 의견을 물어보고 존중해주시는 이런 부분에 있어서 선생님의 교육방식이 굉장히 민주적이고 편안하다는 느낌도 받았습니다. ㅎㅎ

얼마동안 인지 정확히는 기억이 나지 않지만 그렇게 여러 날 동안 선생님께 1:1 지도를 받았고 드디어 대회 본선 당일이 되었습니다. 시 낭송 대회는 불어불문학과가 개설된 서울의 명문대학교들에서 번갈아 가면서 열렸는데 서울대를 비롯하여 고려대, 연세대, 그다음엔 한국외대 이렇게 장소가 바뀌었다고 들었습니다. 제가 참가했던 '13년도에는 한국외대에서 대회가 열렸고, 한국외대 불어과 교수님들도 대회 심사에 참여하셨었지요.

대회 그날 저는 일찍 올라가서 점심도 먹고 외대 캠퍼스를 구경하다가 대회가 열리는 통·번역 대학원 건물로 들어갔습니다. 당일 다른 학교 학생들, 선생님들, 외대 대학생들과 교수님들, 대사관 관계자들까지 많은 사람이 오는 걸 보며 좀 긴장을 하긴 했지만, 당일 대회 장소에 양수경 선생님도 함께 계셔서 긴장을 많이 덜 수 있었습니다. 제 차례가 되었을 때 연습했던 대로 시 낭송을 하고 내려왔고, 시상식이 되었을 때 동상, 은상 때까지 제 이름이 안 불리는 것을 보고 '우와 대상 받겠구나' 싶었습니다만… 금상에서 제 이름이 호명되었고 대상은 경기여고에 다니던 한 여학생에게 돌아갔습니다. ㅋㅋ (항상 2등은 아쉬워하는 법..) 아쉽기도 했지만, 금상을 받았다는 사실 자체가 아주 기뻤고 양수경 선생님께 많이 너무 감사했습니다….

제가 듣기로는 서울에 사는 학생들은 불어 학원에 가거나 학교에 있는 프랑스인 원어민 교사들한테 지도를 받으며 철저하게 대회 본선을 위해 모든 것을 쏟아부었다고 들었는데 저는 양수경 선생님 도움 없이 본인 혼자 콩쿠르 준비를 했더라면 과연 금상을 받을 수 있었을까 하는 생각도 많이 들었고, 무엇보다 전국 대회에서 입상했다는 사실이 저에게 많은 자신감을 주었습니다. 이 자신감은 훗날 제가 고3 수험생활을 하고, 대학교에 가서 공부하는 것까지도 큰 자양분이 되었습니다.

아참, 여담으로…. 현역 때에는 한국외대 불어과에 입학했다가 만족하지 못하고 후에 반수를 해서 고려대학교 불어불문학과를 가게 되었는데, 스무 살 때 외대 불어과에 입학했을 때 여자 동기가 한 명 있었는데 알고 보니 콩쿠르에서 대상을 받았던 그 경기여고 여학생이었습니다…. ㅋㅋ

선생님께서 교직을 그만두신다는 게 사실은 뭐랄까…. 어안이 좀 벙벙한 느낌입니다. 선생님께 지도를 받고 대회 나가서 입상하고 했던 것이 시간이 별로 되지 않은 것 같은데 벌써 8년 전이라니…. 그만큼 시간이 흘렀으니 선생님께서도 명퇴를 하시는 거구나 싶으면서도 마음 한편은 무언가 여운이 남은 느낌이라고 해야 할까요.

선생님의 유일한 남학생 제자인 저는 사회 나가서 성공하고 자리 잡기는커녕 아직 대학교 졸업도 못 했는데 선생님께서는 벌써 명퇴를 하신다는 게 죄송스럽기도 하고 섭섭하기도 하고 그런 만감이 교차하는 것 같습니다. 더군다나 고등학교 졸업하고 성인이 되고 나서는 선생님께 연락도 많이 드리지 못했는데 벌써 명퇴를 하신다니 더더욱 죄송한 마음이 많이 드는 것 같아요…. 아직은 좀 더 공부해야 할 날들이 많이 남았지만…. 시간이 흘러서 꼭 성공해서 선생님 찾아뵐 수 있었으면 좋겠습니다. 그때까지 항상 건강하시고 평안하시고 행복하셨으면 하는 바람이에요

선생님, 감사합니다.!!!

찐~사랑

박우현

지금으로부터 35년 전 고등학교 1학년 시절, 1986년 어느 주말로 생각이 된다.

아이들이 흔히 말하는 시내라는 곳에서 친구 지숙(대광여고 1회 졸업생임)이와 약속을 하고 충장로를 이곳저곳 구경하다 양수경 선생님을 우연히 마주쳤었다. 그 당시 나름 순수하고 소심했던 두 소녀는 카리스마를 풀로 장착하신 양수경 선생님을 뵌 순간 얼음…. 혹시 시내에서 방황하고 다닌다며 야단을 맞지 않을까 순간 긴장했던 기억도 난다. 그런데 웬걸? 선생님께서는 환한 얼굴로 우리를 반갑게 아는 체 해주시고 두 소녀를 '신포우리만두'에 데려가 쫄면을 사주시는 게 아닌가?

신포 우리만두란 식당도, 쫄면이란 음식도 난 그날이 처음이었다. 그래서 지숙이와 난 지금도 그때를 추억하곤 한다.

아무도 모르는…. 오롯이 나만 아는…. 선생님과의 사랑의 인연은 그때부터였다. 그리고 졸업 후 30년이란 세월이 훌쩍 지나 2018년도에 대광여고 30주년 동문행사 관련하여 가입한 밴드에서 선생님과 인연이 30년 만에 다시 시작되었다. 선생님께서 대광여고 밴드에서 내 이름을 확인하시고 먼저 연락을 주셨다.

선생님이 대학 졸업하고 갓 만난 우리들이었기 때문에 선생님과 우리들 사이에는 정이 많이 쌓였었다. 어찌나 반갑던지… 얼마나 떨리고 감격스럽던지…. 너무나 반갑고 기쁜 나머지 나의 가족, 아이들 그리고 직장동료에게까지 자랑했던 기억이 아직도 생생하다. 그도 그럴 것이 그즈음 선생님 관련기사를 언론을 통해서 접하고 깜짝 놀랐던 일이 얼마 전이었다……. 그리고 뉴스를 보며 가족들에게 내 은사님이라고 자랑했던 기억이 있던 후 얼마 되지 않아 더 그랬을 수도 있다.

졸업 후 35년 만에 대광여고 앞으로 양수경 선생님을 뵈러 간 순간! 그리고 그 당시 1학년 때 담임선생님이셨던 송현종 선생님과 멀리 서울이 생활터인 같은 추억을 공유하고 있는 지숙이, 그리고 경애와 함께한 시간들이 너무나 소중하고 감사하다.

현재 나의 둘째 아이는 예비 고3이다. 지금 나의 아이보다 그 당시 내가 더 어리고 순수했던 나이다. 50이 넘은 나이에 설레하며 그때를 추억하는 나의 마음을 우리 아이는 이해할까 싶다…. ㅋㅋ

소중하고 감사한 추억을 만들어주신 선생님과 친구들에게 감사하고 37년간 학교에서 후학을 기르며 얼마나 애정으로 아이들과 소중한 시간을 함께하셨을까 지레짐작이 간다.

선생님과 인연을 맺었던 수많은 아이들이 선생님의 건강하고 따뜻한 영향력으로 국내외에서 든든한 일꾼으로 한몫하고 있을 것으로 생각된다.

선생님~~~

37년간 수고 많으셨습니다….

앞으로 시작될 선생님의 인생 2막을 응원하겠습니다.

선생님, 사랑합니다.^

좋아하는 일을 멋지게 하는 사람

박유나

저는 의사가 엄청 엄청 되고 싶었던 이과 학생이었습니다. 하지만 제가 문과 과목 중에 완전히 빠져버린 과목이 불어였습니다. 불어 자체도 너무나 매력적이고 더 공부하고 싶은 생각이 들 만큼 발음이며 철자며 모든 게 좋았지만, 무엇보다도 양수경 선생님이 정말 좋았습니다.

선생님만의 자신감은 너무나도 멋있었습니다. 좋아하는 일을 하는 사람이 얼마나 멋있을 수 있는지를 그때 처음 알게 되었습니다. 선생님의 수업은 달랐습니다. 수업을 아무리 많이 하셔도 조금도 지치지 않으셨습니다. 매 수업시간이 빠져들었습니다. 선생님께서 친구들 앞에서 불어로 자기소개하는 걸 가르쳐주셨는데 그걸 배운지가 10년이 넘었는데도 아직도 그걸 기억하고 유럽여행에서 사용할 수 있을 만큼 선생님 수업은 늘 impressive 그 자체였습니다. 선생님은 정말로 제 롤모델이었습니다.

저는 이제 그토록 되고 싶었던 소아·청소년과의사가 되었습니다. 어느덧 30입니다. 시간이 많이 지났지만, 선생님의 가르침은 아직도 제게 크게 남아있습니다. 앞으로도 선생님처럼 빛이 날 만큼 좋아하는 일을 멋지게 하는 사람이 되고자 늘 노력 중입니다. 저는 양수경 선생님을 보며 꿈을 키웠습니다. 저 뿐만 아니라 많은 친구가 직접적으로든, 간접적으로든 선생님의 영향을 많이 받았습니다. 저희 여학생들한텐 선생님은 완벽한 롤모델이셨습니다.

선생님이 이제 명예퇴직을 하신다는 게 믿기지가 않습니다. 아직도 그 반짝였던 시간들이 아주 선명하게 그려집니다. 많은 학생이, 그리고 많은 선생님이 저처럼 선생님의 명퇴가 너무나 아쉬울 것입니다. 하지만 전 이게 끝이라고 생각하지 않습니다. 선생님께서 가르쳐주셨던 가르침만은 시간이 아무리 지나도 변함없이 지속될 거고 저도 나중에 엄마가 되어 제 아이들에게 "좋아하는 일을 하는 사람은 빛이 난단다. 그것만으로 다른 사람들을 매혹시킨단다"라는 선생님의 가르침을 가르칠 생각입니다.

선생님의 제2의 시작을 진심으로 응원하며 정말로 감사했고 아직도 정말로 감사하며 정말로 사랑합니다. 선생님!

제 삶의 영양제

박유성

선생님을 처음 만난 건 고등학교 2학년 대광의 밤에 영어연극을 하면서였어요. 제2외국어도 불어가 아니었지만 영어연극을 준비할 때 이것 저것 세심하게 신경 써주시는 선생님께 반했습니다.

그리고 대학교 졸업반 때 교생실습을 하면서 선생님과 뜨거운 인연이 시작되었어요. 선생님께서는 그때 교생들을 담당하셨어요. 저희들을 위해 애써주시는 모습에 선생님의 제자 사랑을 뜨겁게 느꼈어요. 교생실습이 끝나고 얼마나 아쉬웠는지 몰라요.

대학교를 졸업할 때 우연히 선생님과 또 함께할 기회가 저에게 찾아왔어요. 대광여고에서 기간제 영어 교사를 뽑는데, 지원하게 된 거예요. 그리고 저는 대광여고에서 기간제 영어 교사로 근무하게 되었답니다. 선생님과 함께 근무하면서 저는 얼마나 감사하고 행복했는지 몰라요. 아무것도 모르던 저에게 항상 먼저 손을 내밀어 주시던 선생님. 한 번씩 매점으로 불러주시던 선생님. 그 사랑에 전 완전히 반해버렸어요. 선생님의 찐 사랑을 느끼며 1년의 기간제 교사 생활을 잘 보냈답니다. 선생님이 안 계셨다면 전 얼마나 당황하고 외로웠을지 생각하기도 싫어요.

그렇게 기간제 생활을 끝내고 저에게 이런저런 일들이 있을 때마다 선생님의 조언을 듣게 되고, 결혼하고 나서도 한 번씩 선생님을 찾아뵈었어요. 자주 찾아뵙지 못해서 항상 죄송하게 생각하고 있어요. 두 아이의 엄마가 되고 육아로 인해 5년의 공백이 생긴 저에게 다시 취업을 생각하게 하신 분도 선생님이세요.

어디서부터 시작해야 할지 모르고 집에서 아이들만 돌보던 저에게 대체교사로 1달 동안 근무를 소개해주셨거든요. 그 이후 저는 일을 해야겠다는 생각을 하게 되었고, 그 대체교사를 계기로 취업에 눈을 떠서 지금은 대안학교에서 영어 교사로 근무하고 있어요.

저의 삶 속에서 선생님은 저를 더 자라게 하는 영양제였어요. 선생님께 항상 감사해요. 힘들 때면, 고민이 될 때면 앞으로도 선생님께 종종 연락드릴게요. 저를 내치지 마세요.^^

선생님, 항상 감사하고 항상 따뜻하고 항상 멋진 우리 선생님. 앞으로의 선생님의 나아가는 길도 기대가 됩니다. 그리고 응원합니다.

상상을 하면서 살도록 해라

박정서

양수경 선생님께

선생님 안녕하세요? 저 정서예요.

우선 선생님의 명예퇴직 진심으로 축하드립니다.

교사라는 직업을 37년이라는 긴 시간 동안 해오시며 저를 포함한 수많은 제자분의 꿈과 희망이 되어주셔서 감사합니다. 선생님을 만나 고등학교 2학년이라는 나이에 불어를 접하고 불어에 흥미를 느끼며 불어를 배울 기회가 있어서 너무 좋았어요. 진짜로 거짓말 안 하고 시험 기간에 스트레스받을 때면 늘 불어 공부를 하며 교과서 이외의 것들을 사전이나 번역기를 통해 찾아보며 스트레스를 풀곤 했답니다.

고3이 되어 불어 공부를 안 하게 되면서 점점 머릿속에서 불어가 사라지는 것 같아 슬펐고 이젠 다시 불어 공부에 도전해보려고 합니다! 선생님께서 주신 책으로요 !

불어 선생님에서 더 나아가 항상 교사로서 제자인 저에게 삶의 모든 측면에 있어서 큰 희망을 불어 넣어 주셔서 감사합니다.

어느 날 선생님께서 수업시간에 말씀하셨지요. 너희들이 미래에 세계를 누비며 마음껏 능력을 펼치며 살아가는 상상을 하면서 살도록 해라. 왜 그런 상상을 헛된 꿈이라고 막연한 그것으로 생각하느냐고? 상상에서 그치는 것이 아니라 그것이 너희들의 진짜 미래 모습이라고 말이지요. 그때 이 말씀을 듣고 저의 간절한 꿈을 이룰 수 있다는 믿음이 생겼고 그 믿음 하나로 고등학교 3년간의 생활을 잘 마치고 좋은 열매를 맺을 수 있었던 것 같아요. 앞으로도 선생님의 말씀 늘 명심하며 더 넓은 세상을 향해 힘차게 나아가겠습니다! 선생님도 마찬가지 시죠?

선생님의 대광여고에서의 마지막을 함께할 수 있어서 행복합니다. 항상 모든 일 잘 되시길 빌어요. 잘 안 풀리는 일에서 주저앉지 않고 다시 일어나 힘차게 한 걸음씩 내딛인 점도 선생님도 함께 기원해요!

선생님! 항상 건강하고 행복하게 지내셔야 합니다. 제가 자주 연락 드려도 되겠죠? 선생님의 명예퇴직 진심으로 축하드립니다! 더 밝고 활기찬 삶이 멋진 양수경 선생님을 기다리고 있을 거라 믿습니다

첫눈에 열혈팬이 되었답니다

박지우

2017년도 고등학교 신입생으로 설레는 마음으로 입학했습니다. 2020년 아쉽게 교정을 떠나게 되었었는데요. 3년이란 시간이 매우 무색하게도 빠르게 지나갔었네요.

고등학교 2학년 때 외국어 과목을 직접 선택할 수 있었는데, 프랑스어가 생소하기도 하고, 무엇보다 철자와 발음이 너무 예뻐서 고민할 겨를도 없이 선택했던 기억이 납니다. 평소에 워낙 소극적이었지만 프랑스어 부장은 욕심이 나더라구요. 지원자가 많아서 가위바위보로 정했었는데 그렇게 떨리는 가위바위보는 세상 처음이었네요. 선생님 첫인상은 굉장히 시크한 느낌을 받았는데, 정말 마음 따뜻한 분이셨습니다.

2학기부터 진행된 방과 후 프랑스어 수업에도 참여했고, 2학년 내내 동아리 활동도 프랑스문화동아리로 지원했었습니다. 프랑스 시 낭송대회, 광주극장 프랑스영화관람, 서울에서 열리는 프랑크포니에는 아쉽게 참여하지 못했었는데, 내심 아쉽네요.

프랑스를 유창하게 구사하시는 모습을 보고 첫눈에 열혈팬이 되었었는데, 이후에도 대광여고 방과 후 프랑스 원어민 분과의 수업 개설, 교환학생, 교육훈장 수상 이력, 프랑스 하원의원/대사님 대광여고 방문, 국빈 엘리제궁 초청 포함까지 대광여고 모교에 그 어느 누구보다 프랑스와 연결다리를 맺어주시려 걱정스러울 정도로 열성적으로 하시는 모습에 더욱 존경하게 되었습니다.

프랑스어 수업시간 당시에도 일상생활 속 프랑스어 소개와 쉬운 이해도, 직접 프랑스어로 써보고 발표하는 상황극 수행평가 등으로 지루할 틈도 없이 흥미롭게 수업을 이끌어주셨습니다.

솔직히 말하면 우습게도 수업시간에 졸다가 많이 걸렸었는데 외국어 시간에는 단 한 시간도 존 적이 없었어요. 어쩌면 프랑스어에 대한 학구열보다 선생님에 대한 존경도가 더 높았을지도 모르겠습니다. 그렇지만 성적이 좋거나 공부에 성실한 학생은 아니었기 때문에 선생님 앞에서 많이 소극적이었던 점이 걸리는데, 더 밝고 당당하게 보이는 것도 괜찮지 않았을까 가끔 생각합니다. 제 고등학교 생활은 정서적으로 매우 불안정하고, 학교생활면에서도 그리 밝지 않을뿐더러 적응하기 힘들어했었는데, 그 시간을 버티게 해준 것에 프랑스라는 단어가 굉장히 든든한 버팀목이이 되었어요.

배우는 시간 자체도 행복했었지만 비싸지 않은 학비와 열려있는 기회의 프랑스 유학 얘기를 듣고서는 환상과 같았던 프랑스 유학을 꿈에 그려보기도 했었어요. 이런 상상을 해보기도 하면서 가끔 정서적으로 일상생활조차 버거웠던 저에게 2학년은 비교적 무난히 지나갈 수 있었던 것 같습니다.

현재로서는 학업보다는 다른 분야에 관심이 있어 바로 대학에 진학하지는 않고, 향후 몇 년간은 다른 분야로 몸담을 예정입니다. 현재 다른 분야로 375일 바쁘게 사회생활 중에 있습니다. 하지만 몇 년 뒤 진학하고자 하는 학과로 대학 신입생으로 입학하게 될 때, 그때는 꼭 단기적으로라도 프랑스 유학을 다녀올 계획입니다. 물론 선생님과 프랑스 여행 가기도 꿈에 포함되어 있구요.

학교도 졸업한 지 거의 일년이 다 되어가는 관계로 많이 기억이 나지는 않지만. 방과 후 프랑스어 수업 수강하는 학생들과 지도 선생님분들도 함께 주말에 서울로 단기여행 갔었던 기억이 납니다.

프랑스 작가 전시회 구경을 주목적으로 갔었고, 광주로 돌아가는 기차를 타기 전에 인사동을 잠깐 구경했었습니다. 또 학기 중에는 도서관에 선생님께서 진열해두셨었던 프랑스 화가 작품이 있었는데, 제 부주의로 바닥에 떨어지는 바람에 크게 속을 썩였었죠. 다행히 선생님께서 넓은 아량으로 눈 감아 주셨지만, 얼마나 소중히 여기셨던 작품인지 알기에 한없이 죄송하고 감사했습니다.

마지막으로 몇 년 뒤에 모교 방문했을 때 선생님께 인사드릴 수 있을 줄 알았는데 올 2월 말로 교단을 떠난다고 하셔서 너무나 아쉬운 마음입니다. 우울했던 고등학교 생활에 큰 버팀목 역할을 해주셔서, 꿈이 없던 저에게 프랑스 유학이라는 꿈꾸게 해주셔서 정말 감사했습니다.

그동안 그 누구보다 대광여고 교육에 힘써주시느라 고생 많으셨고, 아쉽지만 명예퇴직 후 하고 싶은 것들만 하시면서, 꽃길만 걸으시길 응원합니다!! 사진 찍어둔 게 많이 없어서 아쉽지만, 졸업식 사진을 남기게 되었네요. 장담하건대, 명예퇴직 후에도 행복한 일들만 가득하실 거에요!! 워낙 애교가 없어서 쑥스럽지만 선생님 사랑합니다!! 하트

카리스마에 대하여

박찬요

카리스마란 무엇일까? 교사가 되고 수업이 끝나고 나면 늘 그 생각을 했다. 고등학교 학생들이 정말 싫어하는 영역은 문법 '음운의 규칙'이다. 떠올려보라. 구개음화, 두음법칙, 음절 끝소리 규칙……. 고등학교 3학년 여름방학 수업 중인데도 틀리는 학생들이 태반이다. 나는 최대한 재미있게(?) 수업을 하기로 한다. 칠판에 단어들을 쓰고 "소리 나는 대로 써보자. 우리~"

히읗[히읃], 맑게[막께], 읽지[일지], 앞일[아빌]

그냥 틀리는 학생들은 양반이다. 이미 포기했다고 당당하게 말하는 학생들도 가끔 있다. 어떻게 그런 말을 하니. 내가 안 무서운가? 그런 생각이 들 때마다 나는 그녀를 떠올렸다. 그녀는 어떻게 이과인 우리들이 프랑스어 교과서 본문을 20년이 지난 지금까지도 기억하도록 만들었을까? (옹 아뻴르 폴리씨옹 뚜 프로뒥씨옹……)그녀는 어떻게 우리가 프랑스 샹송을 찾아보고 싶게 만들었을까? 왜 시키지도 않았는데 우리는 수업 전에 선생님 들으라고 동사 변화를 떼창하고 있었나? 때리지도, 화내지도 않는 그녀가 왜 그렇게 무서우면서도, 또 예쁨을 받고 싶었을까? 내가 내린 결론은 카리스마다. 카.리.스.마. 카리스마를 길러야 한다. 교직 16년차. 나는 여전히 학생들을 대하고 수업을 하는 일이 어렵다고 생각한다. 그리고 카리스마를 길러야 한다고 생각한다. 카리스마는 어떻게 길러지는 걸까? 그럴 때면 나는 그녀와의 추억을 떠올린다.

[1단계] 백지 시험을 봐라!

당신들은 기억하는가? A4 용지를 나눠주고 "네가 아는 프랑스어에 관한 지식을 모두 써라~!"그 어마어마한 미션을 수행하며 알고 있는 지식을 모두 끄집어내서 반복하고 반복한다. 동사의 변형이며, 단어며, 우스갯소리로 했던 si bel homme[1]까지 적고 나서도 한참이나 남은 백지를 보며 얼마나 나를 비판하고 성찰했던가!

[2단계] 째려보아 주어라!

그녀는 때린 적이 없다. 우리의 어이없는 실력과 반복되는 실수에, 웃지도 않으며 그 커다란 눈으로 한 번씩 째려보아 주었을 뿐. 그 왕방울만 한 눈과 마주치는 순간, 우리는 조용히 눈을 내리깐다. 지금 그 순간을 생각하면 너무나 미스터리하다. 선생님의 째림을 당하고 자리로 들어오면서 우리는 계면쩍게 웃었다. 다른 친구들도 웃었다. 그러니까 좀 이상하다. 우리는 그 눈빛을 좋아했다. 그때는 그냥 그런가 보다 하고 생각했다. 지금 생각해보니 나에게 그런 눈빛을 보내는 사람들은 나보다 나이가 더 많은 친근한 사람들이었다. 언니나, 친한 이모, 엄마. 그런데 그 무서운 그녀가?

[3단계] 버럭 소리를 질러 주어라!

학생들 가운데는 그녀의 버럭 화내는 소리를 들어본 적이 없을지도 모르겠다. 나는 들었다. 나는 교생실습을 대광여고로 나갔다. 그녀는

---

[1] 아…. 정확한 스펠링은 기억이 나지 않습니다. 죄송합니다. 하지만 이런 단어들은 아직까지도 기억에 남아있네요. ㅎ

우리의 담당 선생님이었다. 예상하겠지만, 진정 스파르타였다. 그때 당시 실습 1달 동안 듣도 보도 못한 50페이지가 넘는 갑종지도안 작성을 했고, 진짜 기말고사 같은 평가 문항을 33개씩 출제했다. (교직 16년차, 나는 한 번도 그 두 가지를 함께 해본 적이 없다.) 거기에다 처음 해 보는 일이니 얼마나 미숙하고 못 했을지 짐작도 할 수 없다. 진짜 엄청 깨졌다. 그녀의 버럭 소리도 그때 들었다. 단체로도 혼나고, 개별적으로도 혼났다. 아침에도 혼나고, 점심에도 혼났다. 정말 절박하고 다급했다. 진심으로 통과하고 싶었다. 우리는 밤을 새우며, 얼굴이 벌게지도록 지도안을 짰고, 문제를 냈다. 통과했을 때는 눈물이 날 지경이었다. 하지만 지금은 그 절박함이 아닌 다른 기억이 난다. 그녀는 우리의 지도안과 문항지를 안경을 벗고 보았다. 가까이 들여다보기도 했다가 멀리 보기도 했다가 눈을 쓱쓱 비비기도 했다. 우리 실습생은 20명이 넘었다. 과목도 정말 다양했다. 그녀는 그걸 어떻게 두 번, 세 번씩 봤을까? 지도안을 못 쓰고, 문항을 못 만드는 것은 화나는 일이 아니라는 것을, 내가 교생을 지도해보고 알았다. 그때 배운 것들은 임용고사 2차에도 써먹고, 신규 교사 요청장학 때도 아주 잘 써먹었다.

[4단계] 심각한 상황에서 ○○ 주어라!

교생실습 때 우리는 23살이었다. 하지만 모처럼 돌아간 모교에서 정신연령은 18세로 낮아져 버렸다. 우리는 교사 급식실을 이용한다는 것이 꿈만 같았다. 아, 직접 퍼먹는 급식이라니. 신이 났다. 또 오랜만에 만난 동창들이라 할 말은 오죽 많았을까? 눈치도 없이 급식에 나온 초코파이를 다른 선생님들 오시기 전에 많이 먹자고 챙기고, 뒷사람에게 던지고, 떠들고, 웃고 난리도 아니었다.[2]

----

2) 아…. 초코파이를 던진 사람은 제가 아닙니다. 선생님.

우리가 다른 선생님들보다 급식을 일찍 먹었는데, 우리보다 더 일찍 먹는 사람이 있었다. 우리처럼 수업이 없는 교장, 교감 선생님이었다. 분명히 식사하고 계셨는데 우리는 왜 그분들이 안중에 없었던 걸까? … 아, 진짜 무진장 혼났다. 밥도 먹었는지 안 먹었는지 기억이 안 난다.

"학생도 아니고!! 예비 교사라는 사람들이!!! 떠들고!!! 까불고!!! … 감히! 초코파이를! 초코파이를 던져!?"

급식실에서 1차로 교장 선생님에게 혼나고, 교감 선생님께 혼나고, 실습실에서 연구부장 선생님한테도 혼나고. 우리는 정말 두려웠다. 학생도 아닌 어른이 되어서 혼나는 것도 부끄럽고, 선생님들은 학생 때보다 다른 느낌으로 더 어려웠다. 우리는 왜 초코파이를 던지며 깔깔거렸나. 코가 쑥 빠졌다. 교장 선생님보다 더 무서운(글을 읽는 졸업생들은 공감하겠지) 그녀가 왔다. 우리는 고개를 숙이고 눈치만 봤다.

"초코파이를 던지고 난리가 났다면서? 학생도 아니고 잘했다. 이 똥개들아."

혼낼 듯하던 그녀가 막판에 피식 웃었다. 똥개. 똥개라는 단어가 그렇게 아름다운 단어였나? 우리도 슬슬 표정이 풀어졌다.

"웃지 마! 뭘 잘했다고 웃어!"

그 뒤로 무슨 말인가 들었던 것 같지만 기억은 없다. 나는 그 웃음이 좋았다. 심각한 상황에서는 웃어주어라! 교생 생활을 더 열심히 하고 싶고, 더 잘하고 싶은 마음은 거기에서 시작되었다. 카리스마는 거기에 있었다.

나는 교직이 힘들다 느낄 때, 중고등학교 때 선생님들을 생각한다. 어떻게 수업을 하셨었나? 왜 나는 그 선생님들이 좋았나? 특히 양수경 선생님 생각도 많이 했다. 그 카리스마가 어디에서 나왔는지 늘 궁금했다. 생각을 정리해 보고 내린 결론은 카리스마는 엄격함과 사랑에서 나온다는 것이었다. 무조건 무섭게 하는 선생님이었다면 우리는 열심히 하지 않았겠지. 그 과목을 싫어하게 되었겠지. 하지만 우리는 무서운 와중에도 알았다. 그녀는 우리를 귀여워하는구나. 그녀가 우리를 위해 할 수 있는 최선을 다해주고 계시는구나. 우리가 궁지에 몰린 상황에서는 토닥토닥해 주는 사람이구나. 카리스마는 거기에서부터 시작하는 것이구나.

얼마 전 퇴임을 준비하신다는 연락을 받았다. (그녀가 교직을 마무리한다니, 매우 아쉽다. 후배들을 몇 년 더 그 카리스마 밑에서 벌벌 떨게 해야 하는데. 훗.) 교직의 마무리마저도 그녀답다. 야무지고, 낭만적이다. 선생(先生)이이 먼저 태어나, 길을 안내하는 사람이라면, 그녀는 나에게 참 오랫동안 많은 길을 안내해주었다. 학생 시절은 물론이고 마흔이 되어가는 지금의 내 삶에도 분명 그녀의 발자국이 있다. 나도 그런 교사가 되고 싶다. 내 발자국이 학생들이 가는 길에 조금이나마 도움이 되는 그런 선생이 되고 싶다.

진심으로 많이 감사하다. 많은 이들에게 이런 발자국을 남기고 교직을 마무리하는 양수경 선생님께 축복과 존경을 드린다.

모교 교복디자인을 할 수 있도록

서난경 (대광여고 교복 디자이너)

"파마한 사람 다 일어나!!!"

그 당시에는 학교에서 파마나 화장한 학생을 교칙으로 엄격하게 통제했던 시절이었다. 1989년 대광 여자 고등학교 1학년 3반 입학 첫날이었으리라. 서너 명이 일어난 것 같다. 두렵고 떨리는 마음, 들키지 않고 싶다는 간절함으로 난 의자에 꼭 붙어 앉아있었다. 무서운 담임선생님께서 손에 선생님표 지휘봉을 들고 두발 검사를 하셨다. 그 당시 매주 월요일은 용의 검사가 있는 날이었지만 그날은 입학식 당일이었다. 점점 내 책상으로 다가오셨다. 내 가슴은 쿵쾅쿵쾅, 선생님 발자국이 내 옆에서 멈추셨고 선생님은 내 핀컬 파마 머릿결 위에 지휘봉을 가리키고 있었다.

"너 핀컬 파마했지?"

"아니요…"

32년 전 기억은 거기서 멈췄다. 어릴 적부터 단발과 긴 머리 스타일만 해 본 나는 고등학교 입학을 위해 커트를 처음 해봤고 선머슴 같은 스타일에 적응 못 한 나는 결국 앞머리 핀컬 파마를 하고 입학을 했던 것이다.

입학식 날 두발 검사 사건은 담임이신 양수경 선생님을 무서운 분으로 인식하게 했다. 난 찍혔을 것으로 생각했던 것 같다. 그러나 그런 대우를 받은 기억이 아예 없다. 지금 생각해보니 아마도 선생님께서 모른 척해주셨는지도 모른다. 대학생 큰언니, 고 3 오빠, 그리고 고 1인 나,

셋이서 자취를 했고 선생님이 가정방문을 오셨다. 연탄을 땠던 그 작은 자취방 아랫목에 선생님이 곱게 앉으셨던 기억이 난다. 나는 시골에 계신 엄마가 오시지 않아서 속상했던 것 같은데 선생님은 큰언니를 어른 대접 하셨고 진솔하게 대화를 나누셨다. 그렇게 진중하게 대해주신 선생님께 감사하게 생각했었다.

나주 시골 국민학교와 중학교에서 선생님들과 주위의 관심과 인정을 받고 부모님께 사랑만 듬뿍 받던 막내 내가, 광주로 유학 와 고등학교 첫 월말고사 성적이 반에서 중간 밖에 안된다는 사실과 담임선생님과 특별한 관계도 없고 친구들에게 인정도 받지 못한다고 생각했던 고등학교 1학년 시작은 나의 자존감에 대해 깊이 고민하던 시절이었다.

처음으로 학교에서 평범한 존재로, 그렇게 이성과 감정에 질풍노도를 거치고 있던 여고생 첫 시절에 지금까지도 여전히 베스트프렌드로로 살아가는 윤아와 지금도 늘 그리워하며 안부를 주고받는 춘미를 만났다. 이 소중한 친구들로 인해 나는 인생에 처음으로 타인을 통해 나의 이기적이고 경쟁적인 성품을 발견하고 성적과 인정으로부터 자유로워지고 모든 친구를 소중히 여기며 우정으로 인한 행복을 배우고 누리기 시작했다. 공부를 무섭게도 많이 시켰던 사립학교 고교 시절에 공부를 그다지 잘하지는 못했지만 착하고 좋은 친구들을 만나 감성 넘치고 행복한 여고 시절을 보냈다.

아름다운 여고 시절 추억을 시작하게 해준 1학년 3반, 거기에 담임 양수경 선생님이 계셨고 어쩌면 우리의 첫 여고생 시절을 낭만적으로 보낼 수 있게 우리에게 순간순간 자유를 주신 것 같다. 쉬는 시간 맘껏 떠들기 (가장 친한 친구의 선생님 흉내 내기는 우리를 너무 기쁘게 해줬다), 쉬는 시간 도시락 까먹기, 그리고 월말고사 후 영화보고 신포 만두집에 가서 쫄면을 먹을 수 있게 일찍 하교하게 해주신 것 등 공부 억세

게 시키는 대광여고에서 우리가 숨 쉴 공간을 주셨음이 분명하다. 우리들은 공부도 열심히 했지만, 소녀들의 순수하고 명랑함을 마음껏 누린 것 같다. 고등학교 대부분의 기억은 1학년 때인 걸 보면 그때가 제일 행복했다.

고 1의 시선에서, 우리 양수경 담임선생님은 참으로 야무지신 분이었다. 뭐든지 다 똑소리 나게 잘 하실 것 같은 분이셨다. 불어 선생님이셔서 다른 과목보다 불어를 열심히 하게 됐다. 영어는 너무너무 싫어했는데 비슷한 알파벳의 불어는 재미있고 이해도 됐다. 지금 생각하면 그 답이 나온다. 그건 선생님의 열정이셨다. 그러나 그때는 내가 불어를 좋아하는지를 인식하지 못했다. 담임선생님이 불어를 가르치시니 우린 불어를 잘해야 한다는 생각과 혼나지 않기 위해 필사적으로 외워야 한다고 생각했다. 정작 매를 맞은 기억이 별로 없는 걸 보면 선생님 표 회초리는 공포탄처럼 우리를 공부시키는 매개체였던 것 같다.

나는 선생님 발음을 너무 좋아했다. 멋있게 보이셨다. 참 잘 어울리셨다. 성인이 돼서 깨달은 것은 불어가 참 아름답고 속 깊은 곳에서 나오는 느낌이 있는 언어라는 것이다. 선생님 목소리가 자체가 시원시원하신데 불어의 깊이가 합쳐져 그 매력이 고등학생인 나에게 전해진 듯하다. 그 시절 교직을 시작하신 지 얼마 안 되신 젊은 선생님들이 많으셨고 그 젊음으로 수업과 학생들에게 열정이 있으셨다. 그 가운데 양수경 선생님은 누구도 따라올 수 없는 탁월하신 열정으로 불어를 가르치셨다. 그러니 우리가 잘할 수밖에!!!

우리 반은 불어 성적 1등 자리를 지키며 담임선생님께 기쁨이 되었었다. 우리를 자랑스러워하셨던 모습이 기억에 남는다. 열정 넘치는 담임선생님 파워로 우리 1학년 3반의 존재감은 컸던 것으로 기억된다.

고 1의 눈에는 너무 큰 어른이셨지만 지금 생각하면 그때가 젊은 여인으로서 가장 아름다운 시절이셨다. 지금도 기억나는 선생님의 피부 꿀팁 이야기이다. "샤워를 마칠 때 항상 찬물로 샤워를 하면 피부랑 머릿결이 좋아져!" 선생님은 교탁 위에 계셨고 우리는 듣고 있었던 날이다. 아직은 피부에 관심을 갖지 못하는 고 1 여자아이에겐 피부에 대해 말씀하시는 선생님이 너무 신기했다. 공부에만 관심을 두신다고 생각했던 분이 그 이야기를 들려주시는 데 따라 해 보고 싶다고 생각은 못 했지만, 왠지 좋았던 기억이 난다. 그리고 선생님의 싱그러움이 느껴졌다. 나는 지금도 샤워할 때 가끔 선생님의 그 이야기가 생각난다. 피로를 풀고 싶어서 뜨거운 물로 샤워를 할 때 문득 선생님 말씀이 생각나면서 입가에 미소를 짓는다. '앗 선생님이 찬물로 샤워하라고 했는데', '우리 선생님 아직도 차가운 물로 샤워하실까?' 하고. 여인에게 좋은 것을 알기에 여동생 같은 제자들에게 찐 꿀팁을 알려주고 싶은 챙겨주는 마음이셨으리라.

수십 년 후에 선생님을 다시 만났다. 윤아가 가끔 선생님을 찾아뵐 때도 한국을 떠나 미국에 거주한 지 23년이 돼가는 나는 문자 메시지 몇 번밖에 드리지 못했다. 그러던 중 몇 년 전 나는 윤아와 양수경 선생님으로부터 30년 만에 처음 바꾸는 모교 교복디자인 프로젝트에 관해 소개를 받고 후배들을 위한 뜻깊은 일을 하게 됐다. 한국에서 교수로 지내고 있던 윤아가 메인으로 프로젝트 진행을 하고, 컨셉과 진행 과정에 아이디어를 교류하며, 뉴욕에서 니트 패션디자이너로 일하고 있던 나는 교복 스웨터 디자인을 하는 영광을 얻게 되었다. 제자들에게 좋은 교복을 입게 해주고 싶으신 열정으로, 또 당신의 제자들이 후배들을 위해 모교 교복 디자인을 할 수 있도록 맺어주신 선생님의 그 깊으신 마음이 참으로 감사했다.

제자들을 향한 선생님의 포기를 모르는 그 열정과 사랑으로 인해, 1학년 3반 때부터 지난 32년간 제일 친한 친구인 윤아와 함께 후배들의 교복을 디자인했다는 것은 너무도 감격스러운 일이었다. 지금 나는 뉴욕에서 캐시미어 브랜드 nan seo를 하고 있고 윤아는 캘리포니아에서 학문에 전념하고 있다.

만남들이 이어져 이야기들이 펼쳐지는 것을 본다. 그래서 특별한 만남은 인생의 선물이다. 프랑스 대통령의 초대를 받아 한국, 프랑스 두 나라 대통령과 함께 사진을 찍은 선생님과 예쁜 새 교복을 입은 후배들의 모습은 아직도 뇌리에 박힌 잊지 못할 모습이다. 식지 않은 불어 교육을 향한 양수경 선생님의 열정과 제자들을 향한 사랑의 열매로 맺힌 증거였다. 졸업한 지 30년이 되어가는 우리를 기억하시고, 기회를 주시고, 우리의 앞날이 잘 되기를 바라시는 선생님은 진정한 스승이셨다. 디자이너 인생에, 제일 친한 친구와 함께 후배들을 위한 의미 있는 일을 선물해주신 선생님께 감사드린다.

37년 동안 부르심을 받은 그 한 자리, 대광여자고등학교 선생님으로서 열정을 다해 살아내셨다는 것은 뿌듯한 시간과 행복한 날들도 많으셨으리라 생각하지만, 모진 바람과 추운 겨울을 다 견디고 깊이 뿌리를 내려 다른 이들을 쉬게 하고 열매 맺는, 인고의 세월을 견딘 나무 같다는 생각이 든다. 우리가 졸업하고 각자의 인생을 살아갈 때, 그 똑같은 자리를 지키시며, 사랑하는 제자들을 떠나보내고, 아쉬움과 그리움에 쌓여있을 여유도 없이 다시 주어지는 제자들에게 사랑의 씨앗을 37년 동안 심으셨으리라. 이별의 슬픔과 외로움, 그리고 만남의 기쁨과 풍성함이 늘 공존하는 선생님의 사명이었지 않았을까 생각해본다. 절대 쉽지 않았을 그 같은 자리를 지키신 선생님, 그것도 열정으로 살아내신 선생님의 삶이 존경스럽고 감사하다.

지금은 예전보다 연락이 쉬워진 스마트폰 덕분에 선생님과 가끔 연락한다. 32년의 세월이 지났는데 이렇게 선생님과 연락할 수 있어서 너무도 감사할 뿐이다. 이제는 자매처럼 연락을 주고받을 수 있는 나의 나이가 되버렸다. 그래도 나는 선생님 앞에서 늘 여고생이 된다. 몇 년 전에는 선생님의 딸이 뉴욕에 놀러 와서 처음으로 만났는데 너무 귀엽고, 성품도 고운 훌륭한 청년이었다. 조카들 나이라서 친근감이 바로 생겼다. 지금도 아주 가끔 인스타로 서로를 반가워한다. 우리는 언제 다시 만나게 될지 모르지만, 서로를 응원할 수 있는 사이가 된 것 같다. 선생님께서 좋은 성인으로 자라도록 사랑을 아끼지 않으셨으리라. 이런 만남이 이어지어 놀랍고 끝이 아닌 것이 신기하고 좋다.

이제 힘을 다해, 생명을 다해, 뜻을 다해 살아내신 삶의 전부이셨던 학교를 떠나 새롭게 시작하는 선생님의 후반전을 위해 마음 다해 축복하고 기도드린다. 또 다른 열매가 맺혀지고, 또 다른 축복의 통로가 되실 것을 믿으며 양수경 선생님을 학교 밖으로 보내드린다. 선생님, 37년의 헌신에 깊이 감사드리고, 참으로 사랑의 수고 많으셨습니다. 선생님의 명예퇴직을 축하드립니다. 앞으로의 선생님의 삶에 일어날 일들을 기대하고 선생님을 통해 또 다른 이들에게 전해질 예수님의 사랑과 하나님의 축복들을 소망합니다. 오랫동안 건강하시길 바라고 사랑합니다. 축복합니다. 제자 서 난경 드림

500원 동전에 담긴 기도와 사랑

손아지

함박눈이 소복소복 내리는 날입니다. 선생님 명예퇴직 소식을 듣고 이렇게 편지를 쓰다 보니 20년 전, 오늘처럼 눈 내리던 날 등교하던 기억이 떠오릅니다. 너무 가팔라서 눈이 오면 엉금엉금 기어가다시피 한 언덕길, 커다랗고 흉물스러운 폐건물이 가로막고 있어 늘 응달이었던 그 길은 얼마나 추웠는지요. 어찌 보면 그 언덕길이 우리의 여고 시절의 상징 같기도 합니다. 입시라는 정상을 향해 다 같이 올라가는 고된 길 말이죠.

그렇지만 저의 학창 시절은 항상 춥지만도 항상 고되지만도 않았습니다. 늘 믿고 기다려주시는 부모님, 우정을 나눈 좋은 친구들, 그리고 훌륭한 선생님들이 계셨기 때문입니다. 그중에서도 선생님과 만남은 어린 저에게 너무나 큰 행운이었습니다.

"Attention, Salut!"라는 구령에 "Bonjour, Madame."하고 시작하는 프랑스어 수업시간, 너무나 기다리던 시간이었습니다. 복잡한 프랑스어 문법이나 어려운 발음에 지칠 법도 하지만 선생님의 수업시간은 항상 활기가 있었습니다. 큰소리 한번 내신 적도 없고, 매를 드신 적도 없지만, 선생님께는 아이들을 사로잡는 카리스마가 있었습니다. 그리고 선생님의 눈빛에서는 늘 제자들에 대한 애정이 느껴졌습니다. 대부분 시간을 학교에 갇혀 지내다시피 한 저로서는 학교에서 만나는 친구와 선생님이 그 작은 세계의 전부였을지 모릅니다. 그런 저에게 선생님은 나를 진심으로 사랑하고 응원해주는 사람이 있다는 것을 느끼게 해주신 분이셨습니다.

수능을 앞둔 어느 날, 선생님께서 반 아이들에게 새 동전을 나누어 주셨던 기억이 납니다. 500원짜리 동전이었을까요. 반짝반짝 빛나는 동전을 나눠주시면서 행운이 함께 할 것이라고, 선생님이 너희를 위해 기도해 주겠다고 하셨죠. 부적처럼 수능 시험장에 지니고 갔습니다. 그리고 꽤 오랫동안 그 동전을 소중히 간직하고 있었습니다. 여러 번의 이사 끝에 지금은 행방을 알 수 없게 되어버렸지만, 그 동전이 저에게 주었던 의미만큼은 잊지 않고 있습니다. 어쩌면 그냥 스쳐 지나갈 수백 명의 제자가 아니라, 그 한 명 한 명의 불안한 마음에 위로가 되어 주셨고, 진심으로 그들이 잘되기를 바라셨구나 하는 것을요.

졸업한 뒤에도 어쩌다 학교 소식을 간간이 듣습니다. 그중에서도 가장 기쁜 소식은 파란색 스머프 교복이 바뀌었다는 것과 선생님께서 프랑스 정부에서 주는 훈장을 받으셨다는 것이었죠. 후배 중 몇몇은 엘리제궁에 초청되어 프랑스 대통령과 만찬을 함께 했다는 소식도 들었습니다. 양국 대통령들이 함께하는 만찬에 광주에 있는 작은 학교 학생들이 초청되다니 듣고도 믿지 못할 소식이었죠. 선생님 혼자 힘으로 일궈내신 기적 같은 일입니다. 사실 이 모든 일은 우연도 행운도 아닙니다. 항상 배우고 발전하고 도전해 왔던 선생님의 37년 교직 생활이 그 열매를 맺은 것뿐입니다. 선생님께서 오랜 시간 아이들과 울고 웃으며 함께 하셨던 시간들이 소중한 추억이 되어 이렇게 문집으로 빛을 보게 되었고, 그 한 페이지에 제가 있게 된 것을 정말 기쁘게 생각합니다.

명예퇴직을 진심으로 축하드리고, 선생님의 새로운 인생에 늘 건강과 행복이 깃들기를 기원합니다. 그동안 학생들에게 나누어 주신 사랑과 열정을 이제 온전히 선생님 자신을 위해 쓰시기를, 그리하여 또 한

번 기적 같은 기쁜 일이 선생님 앞에 펼쳐지기를 그 옛날 선생님께서 저
를 위해 기도하셨던 마음으로 기도해 봅니다.

저도 자랑스런 대광인 반열에 올랐답니다

송정민

항상 학생들 사이에 둘러싸여 인기 많고 바쁘시던 양수경 선생님! 뵙고 싶었지만, 항상 쉽지 않았고 항상 좀 아쉬웠다. 그러나 선생님이 나도 챙겨주신 일이 있었다.

공부에 조금 게을렀던 것이 포착되어 '공부 열심히 해라'며 두툼한 불어사전을 주신 일이 그 일이다. ㅎㅎ 그 말이 뜨끔하니 마음속에 각인되어 게을러질 때, 놀기만 하지 않고 공부하게 되더라.

수고하고 고생 많으셨다.

오랜 기간 동안 빛나게 불태우셨다. (프랑스방 엘리제궁에서 문재인 대통령, 마크롱 대통령 만나셨던 그 일이 peak) 은퇴 후에도 건강하고 행복한 삶 사셨으면 좋겠다.

선생님 ~!
저도 세계로 뻗어나가는 자랑스러운 대광인 반열에 끼고 올랐답니다. 과정이 쉽지만은 않았지만요. 너무 뿌듯하고 멋진 것 같고 다행이고 좋습니다. 다 고생해서 가르쳐주신 선생님들 덕분입니다.

선생님이 너무 귀여우셔서 몰래 엄마 미소가 나왔던 기억이, 후배들에게 공부시켜주는 대광여고, 공부도 열심히 하고, 학교생활도 즐겁게 하길. 교복이 예뻐져서 다행!

사랑합니다 ~!

예쁘고 멋진 선배들 그리고 예쁜 또 멋진 후배들

서로 배울 수 있길요.

잊을 수 없는 프랑스어 첫 시간

송혜리

존경하는 양수경 선생님!!

저는 2009년에 입학한 송혜리입니다. 이과라서 선생님과는 제2외국어 수업에서 처음 만났습니다. 졸업한 지 어느덧 10년이 넘어가서 기억이 희미해졌지만, 선생님과의 첫 시간이 가장 기억에 남습니다.

Bonjour! 라는 가장 기본이 되는 인사말을 반 전체가 돌아가며 선생님 앞에서 말하는 시간이었는데 제가 못해서 선생님께서 반복해서 알려주셨던 기억이 많이 남네요.ㅎㅎ 그때 제가 불어는 못 했지만, 항상 친절하게 알려줘서 선생님과 함께했던 수업은 정말 재미있었던 시간이었습니다.

고등학생 시절은 제가 인생을 살아가는 데 있어서 방향을 설정할 수 있는 의미 있는 시간이었습니다. 그때 선생님께서 저와 쌍둥이인 혜미를 잘 이끌어주셔서 취업난 속에서도 대기업에 취직할 수 있었고 혜미 또한, 교사가 될 수 있었습니다.

제가 사회생활을 한지 올해로 5년이 되어가는데 선생님께서 37년의 교직 생활을 마무리하시고 명예퇴직을 하신다니 정말로 존경스럽고 대단하게 느껴집니다.

제가 기억하는 선생님께서는 정이 참 많으셨고 그 때문에 항상 제자들을 위해서 또한 교육 발전을 위해서 많이 애쓰신 걸 압니다. 지금껏 그래왔듯이 제자들을 생각하는 마음으로 열심히 달려온 선생님을 존경하고 감사합니다.

　　이제 그 무거운 짐을 내려놓고 선생님을 위한 시간으로 가득 채우셨으면 좋겠습니다. 항상 건강하시고 행복하세요.

선생님!! 사랑합니다. ♥♥

"지회야 잘했다"

안지회

2018학년도 고등학교 2학년 당시 양수경 선생님께서 담임선생님 이셨습니다. 고등학교 시절에서 선생님을 생각하면 2018년도에 선생님과 함께 교환학생으로 프랑스에서 7일 동안 지냈을 때가 가장 생각납니다. 선생님께서는 프랑스 대사님께 요청하여 우리가 엘리제궁까지 갈 수 있었고, 여러 프랑스 학교에 갔던 기억이 납니다.

저는 그중 프랑스 현지인에게 수업시간에 배웠던 표현을 사용했던 것이 가장 기억에 남았습니다. 사실 프랑스에 있는 동안 저는 모든 게 낯설고 두려워서 소극적인 태도로 일관하였습니다. 그런데 제 태도를 보시고 선생님께서 "너무나 수동적인 모습에 실망했다."라고 말씀하셨습니다. 저는 이 말을 누군가에게 한 대 맞은 것처럼 멍해졌습니다. 그리고 그동안의 저의 태도를 되돌아보게 되었습니다. 그동안 저는 항상 선생님께 모든 걸 의지해 조금만 어려운 일이 생기더라도 "선생님이 도와주시지 않을까?" 하는 안일한 태도로 임하였습니다.

그 이후로 저는 프랑스에서 뭐라도 하고 가야겠다고 다짐을 하게 되었습니다. 다짐한 후 며칠 지나지 않아 선생님께서 학교에서 배웠던 표현을 활용하여 실제로 길을 찾아보라고 하셨습니다. 저는 이때가 바로 기회라고 생각했습니다.

저는 바로 손을 들어 해보겠다고 말한 후 떨리는 마음으로 길을 찾는 표현을 사용하였습니다. 너무나도 긴장했던 터라 발음과 억양이 엉

망이었지만 다행히 현지인분께서 잘 알아들으시고 친절하게 답변해주셨습니다. 저는 이후로 자신감이 생겨 전날에 가볼 곳을 미리 찾아보기도 하고, 프랑스에서 친구들과 가게에 들어가 아이스크림을 주문하기도 하고, 프랑스 학교에 갔었을 때 조금 더 적극적인 태도로 참여할 수 있었습니다. 전보다 조금 더 적극적인 태도로 임하는 게 보이셨는지 선생님께서 "지회야 잘했다."라고 칭찬해 주셨을 때 너무나도 기분이 좋았습니다! 그래서 저는 앞으로도 내가 참여할 기회가 있다면 바로 참여해야겠다고 생각하게 되었습니다.

선생님은 칭찬을 남발하시는 분은 아니셨습니다. 그러기에 어쩌다 선생님이 칭찬해 주시면 그렇게 기쁠 수가 없었습니다!! 선생님은 항상 칭찬을 남발하면 좋지 않다고 말씀하시면서 칭찬을 잘해주시지 않았는데, 제가 2학년 올라오고 첫 중간고사에 불어 성적을 생각보다 잘 봐서 선생님께서 문자로 "불어 꽤 잘 봤더라."라고 말씀해 주시는데 너무나도 기억에 남았습니다!! 칭찬에 인색하신 선생님께 칭찬을 받아 정말 너무나도 기분이 좋아서 방방 뛰면서 좋아했던 기억이 납니다.

그러기에 어쩌다종업식날이 생각납니다. 종업식날에 선생님께서 원하지 않는 담임이었지만 저희와 지내시면서 정이 들었다고 말씀하신 게 생각납니다. 그러시면서 언제든 힘들 때 찾아오고 2027년 2월 7일 오후 2시 7분에 대광여고에서 만나자고 말씀하신 것도 생각납니다. 그리고 울지 않으실 것 같던 선생님이 눈물을 훔치실 때 저도 함께 울면서 이별한다는 게 너무나도 아쉽다고 생각하였습니다. 선생님께서 한명 한명 다 안아주시면서 잘 지내라고 말씀해 주셨을 때 너무나도 기억에 남았습니다.

그렇게 종업식을 마무리한 후 제가 3학년이 되었을 때, 성적이 오르거나 상을 받았을 때 가장 먼저 생각나는 사람이 양수경 선생님이셨습니다. 성적이 오르면 가장 먼저 칭찬받고 싶은 사람이 선생님이었고 졸업하고 나서 대학에서까지 성적이 잘 나오면 선생님 생각이 가장 먼저 떠올랐습니다. 선생님을 2학년 때 만나서 너무나도 다행이었습니다. 선생님 덕분에 조금 더 공부에 집중할 수 있게 되었고, 어떻게 공부를 해야 조금 더 효과적으로 공부할지 공부하는 방법을 습득할 수 있게 되었습니다.

　　선생님! 그동안 너무나도 감사했습니다!! 학창 시절에 선생님께 가장 많이 혼나기도 하고 다양한 일을 함께 겪어서 저에게는 더 특별한 선생님이셨던 것 같습니다! 항상 건강 조심하시고 저도 꼬박꼬박 연락 잘하겠습니다!! 그동안 너무나도 감사했습니다!

　　(P.S 선생님 저 이번에 전장 받았습니다!! 코로나 상황이 많이 나아지면 제가 꼭 밥 한 끼 대접하겠습니다!!)

　　선생님께서 명퇴하신다고 말씀하셨을 때 사실 다행이라고 생각하면서도 아쉽다고 생각했습니다. 선생님께서 제가 고등학교 2학년(2018년) 때부터 저희가 졸업할 때 같이 명퇴를 하신다고 하셨기에 곧 하시겠다고 생각은 했지만, 막상 진짜로 명예퇴직하시니 느낌이 이상했습니다.

　　선생님께서 그동안 학교의 여러 가지 행정업무와 맡은 일이 많으셔서 항상 바쁘신 게 너무 안타까웠습니다. 특히 담임을 겸하면서 프랑스 교환학생 업무를 같이 하셨을 때는 정말로 힘들어 보이셔서 많이 걱정되기도 하였습니다. 그래서 저는 오히려 명예퇴직한다고 하셨을 때 이제 선생님께서 자유롭게 업무에만 치중하시지 않고 하고 싶은 것을 하시면서 즐겁게 지낼 수 있는 것은 다행이라고 생각했습니다. 그리고 선생님은 오히려 명예퇴직하시고 프랑스 학교 혹은 다양한 기관에서 스카우트되어 선생님의 역량을 마음껏 보여줄 수 있을 것 같아서 명예퇴직하는 게 더 잘된 일이라고 생각되었습니다.

하지만 그렇게 되면 선생님이 더 바빠져 만날 시간이 없을 것 같기도 하고 이제 대광여고를 가도 선생님을 볼 수 없는 게 너무나도 이상하고 아쉬울 것 같습니다. ㅠ

선생님! 37년 동안 교직에 계시면서 제가 모르는 많은 일이 있으셨겠지만, 너무나 고생하셨고 저의 고등학교 2학년 담임선생님이 되어 주셔서 너무나 감사했습니다!! 그동안 정말 감사했고 고생하셨습니다!!

선생님 꼭 기다리고 계셔야 해요!

양가연

안녕하세요! 2017년 입학해서 2018년 선생님 반 제자가 되었던 양가연입니다! 영원히 고등학생일 것만 같았는데 벌써 고등학교를 졸업하여 대학교 2학년을 앞두고 있네요. 선생님의 연락을 받고 오랜만에 2학년 7반일 적에 남겨두었던 여러 가지 기록들을 찾아보면서 정말 많은 일이 있었다는 생각이 새삼 듭니다. 선생님의 애제자로 뽑혀 프랑스 자율 동아리도 활동하게 되었었는데요. 흐흐 공부 때문에 항상 압박감을 느끼고 있었는데 재즈 콘서트도 함께 가고 함께 프랑스 문화 조사도 하고 프랑스 느낌을 내며 바게트도 먹어보고 정말 뿌듯했던 동아리 활동이 생각납니다. 그때 광주극장에도 처음 가봤었는데 음악 콘서트는 처음이라서 정말 재미있었어요! 프랑스어도 정말 열심히 했었는데 선생님 덕분에 프랑스 원어민도 만나보고 프랑스 대사님도 뵙고 많은 경험해볼 수 있었어요.

항상 수능 공부 때문에 부담감 느끼는 반 친구들을 위해 선배님들이나 프랑스 분들을 초청해주셔서 동기부여의 기회를 마련해주셔서 조금 더 미래에 대해 기대하며 공부도 더 열심히 할 수 있었던 것 같네요. 모든 과목 1등인 엘리트 반이라고 했던 것도 생각나요. 흐흐 이제는 많이 까먹었지만 그래도 정말 재미있게 프랑스어 배웠던 것 같아요! 시험 문제를 맞히기 위해서보다는 다른 나라에도 여행 가서 그 나라의 사람들과도 의사소통하고 싶다는 조금 더 넓은 의미에서 공부할 수 있었던 것 같습니다. 2학년 때 선생님께 받았던 따뜻한 은혜가 정말 많은데 나

중에 꼭 보답하겠습니다,

선생님! 선배님들도 만나서 이런저런 조언도 들어볼 수 있었고 다양한 것들도 보고 들으며 좋은 경험 많이 쌓을 수 있었습니다! 반장도 2학년 때 처음 해봤었는데 반 친구들과 함께 수련회나 체육대회 같은 행사에서 즐거운 추억도 많이 쌓을 수 있어서 정말 좋았습니다. 아직도 2학년 때 같은 반이었던 친구들과 많이 연락하며 지내고 있는데 고등학교 교복을 입고 있던 때가 많이 생각납니다. ㅎㅎ

나중에 훨씬 크면 친구들과 선생님 모시고 프랑스에 가고 싶다고 이런저런 상상을 하면서 즐겁게 이야기 나눴었는데 벌써 선생님께서 퇴직하실 때가 되었네요. ㅠ 선생님 꼭 기다리고 계셔야 해요! 돈 많이 벌어서 꼭 모두 함께 프랑스 가서 맛있는 것도 많이 먹고 수업시간에 배웠던 이런저런 건물들도 직접 보러 가고 싶어요. 열심히 공부하여 선생님의 애제자다운 멋진 어른이 되어 돌아오겠습니다! 그때까지 꼭 건강하시고 코로나 조심하셔요. 선생님!

샹송의 추억

양지미진

고등학교 입학 전, 친한 친구가 프랑스어를 배우면서 저에게도 함께 배우자고 권했었습니다. 프랑스어를 배우는 친구의 모습이 어찌나 멋있어 보이던지 그때부터 '난 고등학교 가면 제2외국어는 꼭 프랑스어를 배워야지.' 하고 생각을 했습니다. 그 후 대광여고에 입학하고 제2외국어를 정하기 전, 양수경 선생님께서 저희 반에 오셔서 프랑스어를 배우면 좋은 점 등등을 이야기하셨습니다. 이미 그 전부터 저는 프랑스어를 배우리라 마음속에 정해 두었지만, 그날 선생님을 처음 뵌 이후 더 확고하게 프랑스어로 제2외국어를 선택하게 되었습니다. 그리고 아마 그때 제2외국어 선택을 고민하던 학생 중 여러 명이 선생님을 뵙고 프랑스어로 선택을 하기도 했던 거로 기억합니다.

선생님은 저에게 있어 정말 존경스럽고, 멋진 분이셨습니다. 그래서 제 머릿속에는 열심히 해서 선생님께 꼭 칭찬받고 싶은 생각으로 가득했습니다. 그런데 잘하는 학생은 많고, 저에게 프랑스어는 어렵고……. 그래도 칭찬을 받고 싶은 저는 수업시간에 수행평가 질문을 잘해야 하겠다는 생각을 하게 되었습니다. 당시 수행평가로 질문에 대답하거나 짧은 문구 등을 먼저 외우면 점수를 받아 수행평가를 채우는 방식이었습니다. 하지만 질문에 대답하려면 많은 아이 앞에서 발표해야 했습니다. 부끄러움이 많은 저에게 이것은 매우 힘든 도전이었지만 수행평가 점수는 언젠가는 채워야 했기에 다른 친구들보다 먼저 하기 위해 열심히 단기 암기를 했던 기억이 떠오릅니다. 선생님이 좋아서 칭찬받기 위한 저만의 노력이었습니다.

　한 가지 기억나는 점은 2002년 대광 축제에서 샹송을 불렀던 기억입니다. DELF반 학생들만 샹송을 하는 줄 알았는데 축제를 위해 DELF반이 아닌 학생을 선발한다는 공고를 보고 열심히 연습해 오디션을 보았습니다. 선생님을 수업시간 외에 더 뵙고 샹송을 배울 수 있다는 생각에 축제 연습을 준비하는 그 시간이 정말 즐겁고 행복했습니다. 총 두 곡을 불렀는데 그중에서도 피노키오는 기억에 깊이 남아있습니다. 지금 생각해보면 수많은 학생 중에 저를 기억해 주시면 좋겠다는 생각으로 열심히 했던 것 같습니다.

　대광여자고등학교에 가면 선생님께서 계실 것만 같은 생각이 듭니다. 바로 몇 년 전만 해도 선생님을 뵙고 싶은 마음에 용기 내 학교를 찾아갔는데 어느 날 명예퇴직하신다는 선생님의 문자를 받고 묘한 기분이 들었습니다. 그야말로 시간이 빠르게 흘러간다는 것을 정말 온몸으로 실감할 수 있었습니다. 졸업하고, 결혼하고, 아기를 낳아도 선생님 앞에서는 항상 학생인 저의 마음과는 다르게 시간은 멈추지 않고 계속 흘러가나 봅니다.

　선생님이 너무 좋아 프랑스어를 공부하고, 선생님을 뵈러 교무실에 가기 위해서는 엄청난 용기를 내야만 했던, 20년이 다 되어가는 저의 오랜 학창 시절…. 그 일부에 양수경 선생님께서 계셨습니다. 수능을 잘 보라고 격려해주시고 교생 실습하러 가서 마지막 날 헤어짐이 아쉬워 우는 저를 다독여 주셨던 선생님. 오랜 시간 동안 교직에 계시면서 저의 롤모델이 되어 주시고 때로는 엄하게 때로는 다정하게 저희를 가르쳐 주셨던 선생님의 모습이 제 마음속에 항상 남아있습니다.

　이제는 학교에 가도 선생님을 뵐 수 없다는 생각에 마음이 헛헛합니다. 하지만 여러 학생을 가르치시고 학교를 위해 일해오신 선생님, 이제는 더 멋진 선생님만의 인생을 펼쳐나가실 그 축하의 길에 제가 동참할 수 있게 되어 정말 기쁩니다. 선생님을 만나게 되어 정말 행운이라고 생각합니다. 정말 수고 많으셨습니다, 선생님. 그리고 감사합니다. 명예퇴직을 진심으로 축하드립니다.

"너 나한테 휴지 한 장 빚진 거다"

위재연

2학년이 되어 저는 공부가 부족했던 터라 공부에 집중해야 했지만 1학년 때 친했던 친구와 계속해서 놀기만 바라는 탓에 충돌이 있었어요. 그런 탓에 우울했던 제게 선생님께서는 아침 시간에 오셔서 대뜸 "너 입술 발랐지 좀 진하다?" 하고 말을 거셔서 평소처럼 장난치시는 줄 알았어요. 대뜸 선생님께서 "너 입술 발랐지 좀 진하다?" 하고 말을 거셔서 평소처럼 장난치시는 줄 알았어요.

저는 웃고 말았는데 선생님께서 "장난으로 말하는 것 같아? 따라 나와!" 하고 그렇게 저는 교무실에 가게 되었어요. 선생님은 교무실 들어가시자마자 "너 요즘 무슨 일 있지?"라고 물으셨고 그 자리에서 눈물이 펑펑 쏟아져 아침부터 울고야 말았어요. 선생님은 정말 멋있게 휴지 한 장 뽑아주시며 "너 나한테 휴지 한 장 빚진 거다"라고 하시는데 웃음도 나고 눈물도 났네요. (그 옆 좌석 선생님이 기타 치는 시늉을 하시며 Don't worry~Be happy~ 하며 노래를 부르셨어요.)

저희 반은 2학년 전체 반 중에서 공부도 평균 10점이 차이 나는 반이 있을 정도로 공부도 잘했고 교복 단정히 입고 다니고 인사성도 좋아서 선생님들께 칭찬받는 반이었는데 선생님은 그런 저희를 인정해주지 않으셨던 것 같아요. 고2 종업식날 담당하신 선생님을 보고 아 많이 부족했었나 싶고 선생님께는 그저 많은 제자 중에 하나뿐이니 그럴 수 있으려나 생각하며 종업식을 했습니다. 그런데 마지막 인사 때 한명 한명 안아주시는 모습에 다행이다 싶었습니다.

선생님께서는 제게 귓속말로 "똥강아지 응원하고 하는 만큼 될 테니 열심히 해라. 믿고 있겠다."라고 말씀 해주신 게 생각나요.

선생님이 제2학년을 맡아주셔서 많은 변화도 있었고 고등학교 생활이 더 유익하고 재밌었던 것 같아요. 더 돈독한 2학년 7반을 만들어주셨고 그래서 지금도 가끔 선생님 생각을 해요. 감사합니다.

프랑스 교육공헌 훈장 수여!

유재린

선생님께 즐겁게 불어를 배우던 2학년 때에 한빛 축제에서 불어 시 낭송을 할 학생을 뽑았습니다. 저는 평소 불어 수업도 열심히 참여하고 공부했고, 불어를 배우는 것이 너무 즐거웠기에 불어 시 낭송에 지원했습니다.

교과서에 있는 내용을 사전을 찾아 발음을 공부하였고, 저와 한 친구가 평가 마지막까지 남았습니다. 그 친구도 불어에 애착이 강한 친구라 선생님께서 저와 그 친구 두 명 중 누구를 시 낭송에 나가게 해야 할지 고민하셨습니다. 평가를 위해서 선생님께서 저와 그 친구, 둘에게 한 글을 읽어보라고 하셨습니다. 저는 Hélène이라는 이름을 보고 영어를 읽듯이 헬레네라고 읽어버렸고, 막상막하인 상황에서 불어 발음으로 제대로 읽은 친구가 불어 시 낭송에 나가게 되었고 저는 다행히도 영어 시 낭송을 맡게 되었습니다.

불어 시 낭송을 하지 못해 아쉬웠지만 그래도 시 낭송을 위해 불어를 공부하고 발음을 연습했던 그때가 즐거웠고, 불어를 더 배울 기회였습니다. 그리고 목표를 이루기 위해서 노력하는 즐거움도 느꼈고 그 일을 통해 열정이라는 걸 배웠습니다.

2015년에 선생님께서 프랑스 정부로부터 교육공헌 훈장을 받으셔서 주한 프랑스 대사님께서 대광여고로 오셔서 그 자리에 참석했던 것도 정말 즐거웠고 잊을 수 없는 순간이었습니다. 또한, 선생님께 배운 학생으로서 자부심도 가질 수 있었습니다.

선생님께서 대광여고에 계시던 37년 중에 총 3년을 선생님께 가르침 받을 수 있어서 정말 행운입니다. 선생님께서 수업 중에 들려주신 이야기, 선배님들이 오신 일 등 전부 즐거웠고 그 즐거움과 가르침이 지루했던 고등학교 생활에 햇빛이 되어준 것 같습니다. 고등학교 때에는 좋은 대학교를 가야 한다는 강박 때문에 주변 친구들에게 상처 주기도 했고 저 자신을 되돌아보지 못했습니다. 하지만 2학년 때에 불어를 선택했기에 저 자신을 되돌아보고 반성하며 모든 일에 최선을 다하려는 마음을 갖게 되었습니다.

선생님의 가르침 덕분에 지금까지 큰일 없이 잘 지내고 있다고 생각하고 항상 감사하고 있습니다. 하지만 이제 선생님께 배울 수 있는 학생들이 더 나오지 않는다는 게 아쉽기도 합니다. 그래도 선생님께 가르침 받으며 교사를 꿈꾸고 교사가 된 사람들도 있을 것이기에 선생님의 가르침이 전부 끝난 것은 아니라는 생각이 들기도 합니다. 선생님께서 학생들을 아껴주시고 사랑해 주신 만큼 학생들도 선생님께 항상 감사드린다는 것 잊지 않으셨으면 좋겠습니다. 제가 가장 존경하는 선생님께서 퇴직하시는 길에 글 남길 수 있어서 정말 영광입니다. 선생님께서 제 은사님이셔서 정말 행복합니다.

명예퇴직 축하드립니다! 항상 존경하고 감사드리고 사랑합니다.

프랑스 엘리제궁 초청의 영광을

은향지

양수경 선생님의 가르치는 방식은 다른 선생님들과 확연히 달랐다. 선생님은 불어표현을 외운 사람은 교실 뒤로 가서 적어서 내라고 하셨고, 불어반 학생들은 열심히 적어 선생님께 제출하였다. 선생님은 학생들의 수업 참여도를 보시고 성적에 반영하셨던 것 같다.

축제를 앞둔 어느 날, 불어 상송 팀 대표였던 내가 선생님께 꾸짖음을 받은 적이 있었다. 학생들을 이끌어 연습을 하고 있었어야 했는데, 악기가 없어서였던가 정확히 기억은 안 나는데 연습하기 좀 곤란한 상황이었던 것 같다. 나는 학생들을 이끌고 연습을 하지 못했고, 선생님은 교실에 들어오신 후 그런 우리에게 화가 나셨던 모양이다.

당시 리더로서 경험도 거의 없었기에 나의 리더십은 많이 부족했었던 것 같다. 선생님~ 그때 저 꾸짖으셨던 거 기억 안 나시죠? 흑흑…

고등학교를 졸업한 뒤에도 선생님과 자주는 아니더라고 계속 연락하며 지냈다. 내가 20대 중후반쯤 되었을 때 개인적으로 아주 힘들었고 몸무게도 아주 많이 줄고 나의 상황은 너무나도 안 좋았다. 그 시기에 선생님을 뵈었는데, 그때 내가 받은 느낌은 이런 것이었다.

'아.. 양수경 선생님은 세상 적으로 잘 나가는 소위 말하는 성공한 제자들을 좋아하시는 것이 아니구나. 나처럼 약하고 세상 속에서 인정받지 못하는 제자들을 아낄 줄 아시는 분이시구나!'

양수경 선생님은 생각이 깊으신 분이라는 것을 알게 되었다.

한 2년 전쯤, 친구 소은이와 선생님을 뵀었다. 코로나 발생 이전이었고, 선생님은 학교 퇴직하신 뒤 프랑스 파리에서 조금 사실 계획이라며, 그때 프랑스 선생님 집에 오라고 하셨다. 그런데…. 코로나가 터지고 외국 여행이 힘든 상황이 되어 버린 것이다.

선생님~~ 코로나 문제가 많이 안정화되고 선생님께서 파리에 가시면, 소은이랑 저 꼭 불러주셔야 돼요^^

선생님~ 이건 개인적으로 드리고 싶은 말씀인데요~ 저 수능시험에서 불어는 100점 만점 받았었어요!!! 선생님도 기쁘시죠? 잊으시면 앙 되용~~~

우리나라에 양수경 선생님 같은 분이 또 계실까.

프랑스 학술공헌 훈장을 받으시고, 2018년 9월에는 문재인 대통령 프랑스 국빈 방문 때 대광여고 학생들이 프랑스 대통령의 엘리제궁 초청을 받아 화제가 되기도 했는데, 이런 고등학교 교사가 한국에 또 있을까?

선생님 이제까지 정말 고생 많으셨습니다. 선생님이 지금의 위치까지 오르실 수 있었던 데에는 분명 보이지 않는 엄청난 노력이 있었을 그것으로 생각합니다.

너무나 훌륭한 선생님의 제자여서 뿌듯합니다.

앞으로도 저의 은사님으로서, 인생의 선배로서 좋은 조언 많이 해주시길 부탁드려요.

선생님 사랑합니다. 감사합니다.

진심 어린 조언

이도윤

양수경 선생님은 제가 2학년 때 진로를 담당해주셨습니다. 1학기 초반에 수업을 듣는 도중 저와 친구가 군것질 같은 것을 해서 선생님께 혼이 난 적이 있었습니다. 지금도 그때만 생각하면 많이 죄송하고, 민망하기도 하고 그러네요.

그 후로는 선생님의 수업에 열심히 참여하고 실수를 만회하려 했습니다. 단지 이미지를 회복하기 위함만은 아니었고, 제가 그렇게 하는 것이 선생님을 존중하는 길이라 생각했기 때문이었어요! 그 후로도 선생님과는 잘 지냈던 것 같아요. 외국어를 전공하고 싶어서 하는 저에게 진심으로 조언도 해주셨고요. 선생님이 진로 탐색 시간에 들려주시는 다양한 이야기도 정말 재미있게 들었습니다.

저도 졸업하는 처지지만 선생님이 교단을 떠나신다니 아쉬운 건 사실이네요. 하지만 이젠 보다 더 여유 있고 행복이 가득한 삶을 사실 테니 아쉬워하지 않겠습니다! 늘 건강하세요 선생님! 처지지만감사했습니다!♥

무심한 척 챙겨줌과 예삐들

이설희

선생님의 애제자 한나 선생님 실습담당 반 실장 + 불어부장으로 작고 큰 일화들이야 많았지만, 굳이 하나를 뽑자면 제 인생을 통째로 바꿔버린, 지금 제가 이 자리에 있게 된 계기를 선택할 것 같아요.

모든 것이 성적, 등수, 내신등급으로 결정되던 대광여고에서 1학년 때 그렇게 뛰어나지도 않은 성적으로 실장 생활을 (겨우) 마치고 2학년 들어와서 오랫동안 꿈꿨던 유학의 기회가 왔을 때, 유일하게 반대하지 않으시고 오히려 가라고 북돋아 주시고 망설이고 고민하던 저를 설득해 주신 것… 아마 선생님이 아니었다면 아무리 가고 싶었어도 복학, 돌아와서 다시 적응하는 문제 등 당장 눈앞의 현실에 부딪혀 이런저런 고민 때문에 아마 가지 않았을 거예요.

선생님을 그만큼 신뢰하고 의지했기 때문에 선생님의 설득에 용기를 얻고 정말 무모한 도전을 할 수 있었고, 그 덕분에 꾸준히 미국에서 교육을 마치고 사랑하는 사람을 만나 지금은 하나님이 주신 가정을 꾸리고 예쁜 아이들을 낳고 행복하게 살고 있답니다.

명퇴에 즈음하는 제자의 느낌 매년 스승의 날마다 감사하다고 메시지 하나 제대로 못 보냈지만, 친정에 방문할 때마다 학교 근처를 지나갈 때면 선생님과 있었던 에피소드, 수업들을 떠올리며 그 순간에도 선생님께 수업을 듣고 있을 "예삐들"을 생각하면서 그 아이들이 얼마나 부럽던지…. 제가 선생님의 수업을 들은지 16년이라는 세월이 흘렀다니

믿을 수가 없었어요.

처음 명예퇴직 소식을 들었을 때, 제가 너무 존경하고 우러러볼 수 있는, 저의 최고 롤모델이시며 선견지명이 있으신 선생님께서 더이상 교직에서 더 많은 학생들에게 선생님의 영향력을 끼칠 수 없다니 너무 안타까웠지만, 또 한편으로는 선생님도 드디어 자신만을 위한 시간을 가지시고 그동안 사랑과 관심으로 자신의 자식처럼 예쁘고 소중하게 키워주신 제자들을 만나고 저희들이 어떻게 성장했는지, 또 선생님께서 저희들에게 어떤 영향을 끼치셨는지 돌아볼 기회가 될 것 같아 제가 다 오히려 뿌듯하고 신이 났어요.

너무 오랜 시간이 흘러버렸지만, 저도 이제 아이 셋 엄마가 된 성인으로서 제 인생의 은사님을 저희 집에 모시고 대접할 기회 주실꺼죠? 대광여고를 졸업하지는 못했지만, 학교를 떠나고 난 후, 선생님하고 한나 선생님과 따로 만나 식사했을 때, 고기 제대로 못 굽는다고 잔소리하시고 고기 굽는 법도 알려주시고 ㅋㅋㅋㅋ 나름 그땐 선생님 잘 알고 가까워졌다고 생각했는데, 또 사랑의 잔소리에 잔뜩 긴장해서 먹는 내내 안절부절 조마조마했던 소녀 때의 제 모습이 아직도 기억에 남네요.

선생님같이 능력 있고 멋있는 츤데레 스타일 선생님이 제 은사님이셔서 정말 감사했고 저에게는 크나큰 축복이었어요. 그동안 너무 수고하셨고, 짧았다면 짧은, 하지만 무미건조했던 저의 일 년 반 대광여고 생활에 촉촉한 단비 같았던 선생님. 사랑합니다. 그리고 퇴직 후 선생님의 제2의 인생을 응원하고 축복합니다.

그 많은 '수빈' 중에 선생님의 '수빈'으로

이수빈

안녕하셨나요, 선생님? 저는 2017학년도에 입학했던 이수빈이에요. 아직도 코로나가 심해 선생님 뵈러 한 번 간다는 게 이렇게 미뤄졌네요. 선생님이 저의 담임선생님이 아니셨기에 보통이라면 2학년 2학기에 한 번 스쳐 지나갈 인연이었겠지만 저의 도전이 선생님과의 시간을 더 많이 만든 것 같아요. 선생님의 프랑스어 수업을 따로 신청해서 듣기도 하고 프랑스에 같이 다녀온 학생 중 하나로 정말 많은 일이 있었죠.

그렇다고 함께 한 시간이 그리 길지는 않았지만 엮이는 인연이 많아 추억할 것들은 많이 남아있는 것 같아요. 시험 기간 야자시간에 잠깐 저를 불러내어 빵을 챙겨주시며 공부 열심히 하라고 하시던 추억도 있고 프랑스에서 떨리던 엘리제궁에 들어가는 순간, 프랑스 갔던 친구들과 같이 밥 먹고 밤 10시까지 카페에서 수다 떨던 추억. 그 많은 추억 중에서도 제게 가장 기억에 남는 일은 아픈 발가락으로 여행 내내 힘들어하셨던 선생님을 제가 모르고 선생님의 아픈 발가락을 밟은 일이네요.

이때가 프랑스에 갔을 때였죠? 기차에서 실수로 선생님의 발을 밟아서 안 그래도 아프셨던 발가락을 더욱 아프게 한 일이었죠. 너무 죄송하고 당황스러운데 제가 뭘 어떻게 할 수 있는 것은 없고 그래서 더 어찌할 바를 몰랐었는데. 많이 아프셨죠? 죄송해요. 그랬던 거 같아요. 저는 선생님께 실망도 드리고 아프게도 했죠. 그런데도 선생님은 제게 기회를 주시고 마음을 열어주셨어요.

　많이 챙겨주신 거 정말 감사히 생각하고 있어요. 처음에 선생님은 엄격하고 무서운 분이신 줄 알았어요. 하지만 시간을 같이 보낼수록 예의를 중시하고 잘못된 것에는 무서운 분이시지만 그만큼 정도 많고 따뜻한 분이시라는 걸 알았어요. 한 번도 졸업한 선생님께 찾아가 본 적 없는 지나간 인연을 다시 맺으려 하지 않는 저지만 선생님이 계신 학교에는 한 번 찾아가 인사드리고 싶었는데 코로나가 심해 이렇게 미뤄지고 이젠 학교에서는 선생님을 뵙지 못하게 됐네요. 교단 위에서 자신감 있고 멋진 선생님의 모습을 더는 못 본다는 게 아쉽네요. 그래도 바쁘고 쉴 틈 없는 생활을 그만두고 쉼과 여유를 찾아가신다니 기뻐요.

　어떤 일이든 몇십 년을 꾸준히 해온다는 것은 대단하다고 생각해요. 코로나로 별다른 일 없이 매일 반복되는 일상이 이리도 지치는데 몇십 년을 선생님으로 있는 게 지치지 않으시겠어요? 선생님이라고 학교에서 일한다고 뭐 그리 특별했을까요? 회사원과 같이 아침에 출근해 저녁이 되면 퇴근하는 것은 모두 다 같은 일상이었을 텐데. 그런데도 그런 같은 일상 속에서 멈추지 않고 계속해서 큰 노력과 연구를 하셨기에 교육공헌 훈장도 받으셨다는 것을 잘 알아요. 결과도 훌륭하셨지만, 그 전개 과정에서 있었을 선생님의 노력이 더 존경스러워요. 열심히 달려오신 만큼 더 빠르게 지쳐가셨을 것 같아요. 이제는 여유를 가지고 선생님을 더 많이 돌보시면서 행복하게 지내셨으면 좋겠어요.

　저는 고작 12년 학교생활 동안에도 많은 선생님을 만났는데 선생님은 교직에 오래 계시는 동안 정말 많은 학생을 만나셨겠죠? 그중에 수빈이라는 이름의 학생들도 정말 많았겠죠? 그 많은 수빈 중에 제가 선생님께 기억되는 제자라면 좋겠어요. 제게 특별한 기억과 기회를 주셔서 평생에 잊지 못할 분이시니 그런 분께 저 또한 조금은 특별하게 기억

되면 좋겠어요. 선생님께 부끄럽지 않은 제자가 되도록 열심히 살아갈
게요.

교직 속에서 빛나셨던 선생님 이제는 교직 밖에서도 빛나시길 바랍
니다. 수고하셨습니다. 감사합니다.

이젠 육아 경험까지 전수

이수지

안녕하세요~저는 현재 고등학교에서 영어를 가르치고 있는 대광여고 8회 졸업생 이수지입니다.

졸업 후 자주는 아니더라도 종종 선생님께 연락도 드리고, '선생님 저 결혼해요!' 하며 신랑도 소개하고 했었는데, 나름 워킹맘으로 살다 보니 어느새 선생님께 연락도 못 드리고 지내고 있더라고요. 이번 선생님 명퇴 소식을 받고 보니 어느새 제 나이가 40대 중반~ 어쩜 그리도 소위들 말하는, 고등학교 시절이 엊그제 같은데 말입니다.

고등학교 시절 어찌 선생님과 인연이 시작되었는지 그 시작이 기억나지는 않습니다만 선생님과 개인적으로 인연을 맺을 수 있었던 건 참 행운이었습니다. 지금까지도 생생히 느껴지던 불어에 대한 선생님의 자부심과 열정! 덕분에 지금까지도 전 불어에 대해 막연한 동경을 하고 있습니다.

수업 중 선생님께서 대학 때 어린 왕자를 번역해보곤 하셨다는 말씀에 비록 실행에 옮기지는 못했지만 나도 대학 가면 꼭 어린 왕자 불어로 읽어봐야지 하기도 했고, 한때 자크 프레베르의 시 '새의 초상화를 그리기 위하여'를 불어로 외우고 다니기도 했었는데…. 그래도 아직 초입 몇 줄 정도는 가능하네요.

순간 어느새 거의 25년 30년 가까이 된 고등학교 시절 기억들이 생생해지며 그리워집니다. 그냥 공부가 하기 싫어 소심한 방황을 하고 있

을 때 중간중간 불러 챙겨주시던 말씀들~

불어 연극 공연제인가에 너무 참여하고팠는데 오디션에서 똑 떨어져 의기소침하고 있을 때 스탭으로 참여시켜주셔서 얼마나 기뻤었는지. 교생 때 아침마다 감자며 떡이며 챙겨와 먹여 살려 주셨던…. 정말 때로는 엄청 호랑이 선생님이셨다가 또 적절한 시기에 엄마 같은 다독임. 제가 교단에 있어 보니 더더욱 선생님이 대단하게만 느껴집니다.

이제는 늦둥이 육아 경험자라는 공통점에 아이 교육 비결까지 전수해주십니다. ㅎ 선생님~ 자주 연락드릴게요~

항상 건강하시고, 선생님의 퇴직과 분명 더 화려할 제2의 인생의 시작을 진심으로 축하드립니다!

2대에 걸친 선생님의 제자

이은지

샘~~~

그동안 수고하셨습니다.

설레는 마음으로 등교하여 처음 선생님을 뵈었을 때 저의 1학년 담임이셨어요.

칠판에 양수경 선생님이라고 소개하시고 한명 한명 이름을 부르셨죠. 선생님께 저에게는 생소했던 프랑스어를 배우면서 참 재미있었어요.

1학기 초에 가정 방문하셨을 때는 제 어머니께서 경기도에서 1년 동안 계셔서 살림을 맡이인 제가 하게 된 것을 아시고 많은 관심을 가져주셨죠. 그로 인하여 반 아이들은 제가 선생님께 학급에서 일어나는 모든 일들을 말씀드리고 있다고 의심을 받게 되었는데 조금 시간이 지나고 모든 것이 오해였다는 것을 친구들이 알게 되었지만, 그때는 참 속상하고 선생님께 죄송한 마음이 들더라구요. 그리고 졸업 후 가끔 선생님 생각을 하면서도 연락을 못 하였는데 결혼하여 나은 둘째딸이 또 선생님에 제자가 되었더라구요. 아이에게 선생님들 중에 혹시 양 수경 선생님 계시냐고 물었더니 계신다고 하더라구요. 참 반가웠어요. 아이는 어떻게 선생님을 아느냐고 물어보더라구요. 엄마 1학년때 담임선생님셨다고 했더니 놀라더라구요. 학부모설명회에 참석하러 갔을 때 선생님께서 바로 저의 이름을 불러주셨죠. 30년이 가까이 못뵈었는데도 기억해주셔서 정말 감사했어요. 고등학교때나 지금이나 선생님을 생각만 해도 빙그레 웃음이 지어지고 마음이 따뜻해져요. 언제든지 학교에 가면 선생님이 계실 그거로 생각했는데 이젠 계시지 않는다 생각하니 아쉬워요. 자주 연락은 못 드리지만, 항상 생각하고 있습니다. 건강하시고 소원하는 모든 일이 이루어지시길 기원합니다.

선생님 사랑합니다~~~~

인생의 조력자

이효라

선생님 안녕하세요

2003년도에 입학한 이효라 입니다ㅎ 2003년도에 입학한 것 보다는 고등학교 3년 내내 선생님을 쫓아다닌 이효라입니다.ㅎㅎ 어느덧 30대 중반이 되었는데요. 선생님께 정말 정말 오랜만에 드리는 편지 같아요. 졸업하고 대학생 때까지 자주 찾아뵀었는데 그 후로는 연락도 제대로 못드린 거 같아 죄송합니다. 선생님께서 퇴직이시라니 시간이 정말 빨리 지나간 거 같아요.

고1 때 선생님을 처음 뵙고 선생님께 꼭 배우고 싶어서 불어를 선택하고, 고등학생 시절 내내 수업시간이건 아니건 선생님만 쫓아다녔던 거 같아요. 수업 시간에 선생님께서 하신 말씀을 모두 노트랑 교과에서 적어놓고 한 글자도 놓치지 않으려고 반복하고 또 반복하고 다른 책은 다 버렸는데 아직도 불어 노트랑 교과서는 간직하고 있어요.ㅎㅎ

수업 시간에 선생님께서 가끔 선배님들 이야기를 하실 때면 저도 저렇게 아끼는 애제자가 되고 싶다는 생각을 많이 했던 거 같아요. ㅎ 많은 제자들 사이에서 자랑스러운 제자가 되고 싶다는 생각도 많이 했었는데요. 제 생각에 자랑스러운 제자는 아닐지라도 선생님을 존경하는 제자는 확실한 거 같습니다. ㅎ

저에게는 수업 시간이든 수업 외 시간이든 항상 선생님과 함께라면 특별함이 느껴지는 순간들이었어요. 고등학교 졸업하고 대학 들어가기 전에 선생님 생신날 친구들이랑 같이 자택에 찾아뵙고, 계단에서 깜짝 생신 이벤트를 해드렸던 게 생각나네요. ㅎ 그때 정말 초대박 긴장하면서 ㅋㅋ 아무 일 없는 듯이 전화해서 계단에 숨어있다가 노래 부르면서 나타났었는데요... 기억하고 계실지 모르겠어요. ㅎㅎ

선생님께서 졸업하는 날 저에게 특별한 선물도 주셨었는데요. 부모님 외에 이렇게 저를 생각해주는 분이 있으실까 하고 감사했습니다. 선물도 선물이지만 선생님께서 저에게 마음 써주신다는 사실에 정말 감사하고 감사했습니다.

대학 다닐 때 과외도 소개해주시고요. 실력이 부족한 저에게 선생님께서 다양한 기회를 주신 거 같아서 정말 감사했습니다.

하늘에서 귀인이 내려와 인생에 조력자가 되어준다는 예언이 있다면, 아마 선생님께서 저에게 그런 존재인 거 같습니다. 저에게 힘든 순간이 있을 때면 선생님께서 항상 버팀목이 되어주셨습니다. 수능을 잘못 보고 대학 선택할 때도, 대학 들어가서도 전공 선택할 때도 선생님께서 조언을 많이 해주셔서 항상 좋은 방향으로 나아갈 수 있었던 거 같아요. 항상 선생님께서 함께해주심에 감사드립니다.

선생님께서 벌써 퇴직이시라니 믿기지 않습니다. 소식을 듣고 시간이 벌써 그렇게 됐나 하면서 많이 놀랐습니다. 퇴직하시더라도 선생님은 언제나 저에게 유일무이한 선생님으로 남아 계실 겁니다. 선생님의 퇴직을 진심으로 축하드리며, 저의 영원한 선생님이 되어 주셔서 감사합니다.

선생님 항상 건강하시고 앞으로 행복한 일들만 가득하세요^^

자신감과 멋짐에 대해 배우다

임도연

양수경 선생님과는 2019년 제가 고등학교 2학년 때 제2외국어로 중국어를 선택했지만 불어도 배우고 싶어서 교육청에서 주관한 협력교육과정에서 프랑스어 회화 수업을 신청하였고 덕분에 선생님과 소중하고 따스한 인연을 맺을 수 있었습니다.

저는 프랑스에 보기도 좋고 맛도 좋은 빵 그리고 예쁜 풍경을 보며 프랑스로 여행 가야겠다고 생각이 들어 빠져들다 보니 프랑스란 나라에 많은 호감을 느껴졌고 불어의 매력적인 발음이 너무나 매력적이라고 느껴 이끌려 이 수업을 신청하게 되었습니다.

불어 발음이 어려워 수업 발표 참여하는 거에 있어 겁이 날 때면 양수경 선생님께서는 틀리는 것은 부끄러운 것이 아니라 틀렸다는 걸 알고 제대로 하면 되는 것이라 자신감과 흥미를 금방 높여주셨습니다.

양수경 선생님과 수업하면서 저는 불어만 배운 것이 아니라 자기 자신의 미래에 대한 기대, 자기 자신만의 계획이 중요하단 걸 다른 선생님들에게 배우지 못한 지혜를 처음으로 선생님께 배울 수 있었습니다. 불어에 대해서, 삶의 자신감과 멋짐에 대해서도 배울 점이 많았고 같이 수업을 듣는 친구들에게도 모두에게 똑같이 아낌없이 베풀어주시는 선생님과 수업할 수 있음에 영광이었습니다.

초중고를 다니며 뵙게 된 선생님 중 가장 선생님다우신 양수경 선생님이 명퇴하신다니 저는 되게 기쁩니다! 선생님이란 직업은 끝났지만, 그 후에 선생님이 하실 일들이 벌써 기대되고 멋진 인생을 달리실 거라 믿기 때문입니다. 선생님과 함께 수업한 시간은 선생님과 저의 삶의 시간 중 서로에게 짧은 시간이었지만 앞으로 오래오래 이어질 인연으로 이어가고 싶습니다. 수업할 땐 카리스마가 있으시고 같이 식사를 할 땐 따스하게 챙겨주신 기억이 나고 늘 보고 싶습니다.

선생님의 명퇴를 축하드립니다. 그리고 새로운 시작을 진심으로 축하드립니다! 자신감이 떨어질 땐 선생님을 떠올리고 행하겠습니다. 저도 잘 되어서 자주 찾아뵙겠습니다. 항상 행복하세요.

결과가 아니라 가능성을 봐주신 선생님

임성은

저는 선생님을 만난 시간이 일 년도 채 되지 않아요. 이야기를 나누어 본 적도 거의 없고 마스크 때문에 얼굴도 못 봤어요. 수업도 거의 진행되지 못했고, 친해질 기회는 정말 없었어요. 그럼에도 온라인 수업에서 저를 성실하게 봐주셔서 정말 감사합니다. ^^

제가 들은 선생님 첫 수업은 '온라인 클래스'에서 본 프랑스어 수업이었어요. 내주신 과제를 나름대로 정말 열심히 했는데 선생님께서 제 과제에 빠진 부분이 있다고 하시는 거예요. 그때는 진짜 큰일 나는 줄 알았어요. 첫 과제는 선생님께 첫인상인 건데 벌써 뭘 잘못한 걸까 다시 올려도 못 보시면 어쩌나 혼자 별걱정을 다 했어요. 텍스트로는 선생님 표정이나 말투를 알 수가 없으니까 무섭더라고요.

그 후에 진짜 개학을 하고 대면 수업에 이제 적응하고 있는데 시험 기간이 됐어요. 저는 걱정도 많고 욕심도 많은데 공부는 자꾸 미루고 습관처럼 딴짓했어요. 목표도 뚜렷하지 않고 공부하는 방법도 모르겠고, 그런 와중에도 다른 재밌는 것들은 자꾸 눈에 들어오고. 열심히 하면 성적이 오를 수 있겠다고 생각하면서도 걱정만 하고 어김없이 어중간한 성적을 받아오고 또 걱정하고 그냥 반복이었어요. 선생님을 만나고 본 첫 시험도 마찬가지였어요. 시험이 끝나고 방학을 앞둔 수업시간에 선생님께서 저를 부르셔서 깜짝 놀랐는데 제가 그동안 생각했던 제 성적 문제를 똑같이 말씀하셔서 정곡을 찔렸단 게 이런 거구나 느꼈어요.

좋은 조언 해주신 게 너무 감사했고, 공부하는 데 정말 큰 동기부여가 되었어요. 그 후로 선생님 수업은 더 열심히 들으려고 노력했더니 다음 프랑스어 시험은 정말 좋은 결과를 얻었어요. 사실 시험 때 별로 어렵지 않게 풀어서 다른 친구들도 다 그랬을 그거로 생각했는데 결과를 알았을 때 진짜 선생님 말씀 잘 들은 보람을 크게 느꼈어요.

우선 긴 교직 생활을 마치시고 명예퇴직하시는 것 진심으로 축하드립니다! 그간 학생들을 아껴주시고 응원해주신 것 정말 감사드립니다. 선생님께서 교직을 떠나시는 건 아직 학교에 있는 저로선 사실 아쉽기도 해요. 하지만 앞으론 지금까지 열심히 제자들 키워주신 보람도 느끼시고 몇 배로 더 행복하실 테니까 저도 선생님의 행복한 미래에 자랑스러운 제자로 함께 할 수 있도록 열심히 살아보겠습니다.

선생님의 37년 교직 생활에 제가 마지막 제자가 될 수 있었단 게 정말 감사해요. 하나님께서 제가 선생님을 만나게 해주신 게 확실한 것 같아요. 더 오래 같이 있었으면 좋은 추억이 많았을 텐데 하필 제 인생 선생님을 만났을 때 코로나도 같이 만나버렸네요. 1년도 못 채운 짧은 시간이었지만 선생님은 제가 학생으로 살았던 11년 중에 정말 감사하고 멋진 잊지 못할 선생님이에요. 진심이에요. ^^

결과가 아니라 가능성을 봐주신 거 선생님이 처음이었고, 제 성격을 알아주고 공감해주신 것도 선생님이 처음이에요. 선생님께서 해주신 말씀 다 새겨두고 있어요. 선생님이 교직에 계시지 않아도 저는 고민 생기거나 좋은 일 있으면 선생님 귀찮게 할 겁니다. 앞으로도 계속 응원해주시고 기도해 주세요. 기도 응답은 시간문제일 뿐 반드시 전부 다 들어주신대요. 왠지 선생님 기도는 빨리 들어주실 것 같아요!

저도 선생님께서 앞으로 하실 모든 일에 행복이 가득하기를 기도할게요. 명예퇴직 다시 한번 축하드리고 앞으로 웃을 일이 넘치시길 바랍니다.

초 아

임예진

선생님 수업을 처음 듣게 된 것은 2학년 2학기 불어 시간이었어요. 1학기 때 들었던 한자는 어렸을 때 조금 배워봤지만 불어는 처음이라 신기하기도 하고 잘 배워 보고 싶은 생각에 열심히 수업을 들었어요. 선생님과의 일화 중 가장 기억에 남는 것은 바로 제 별명이 새로 생긴 날이랍니다!

여러 단어를 외워서 구두로 테스트를 보는 날이었는데 열심히 외워 와서 다른 단어들은 다 맞았어요. 그런데 '선택하다'라는 단어를 '좌지흐'라고 발음해서 선생님께서 힌트를 주셨지만 저는 원래부터 그렇게 알고 있어서 뭐가 틀린 것인지 알아채지 못했죠.

다시 줄 서서 친구들에게 물어보고 나서야 잘못 알고 있었다는 것을 깨닫고 다행히 통과했어요. 선생님께서 수업하기에 앞서 그 단어 발음을 다시 언급하시면서 그때부터 저를 "초아" 라고 하셨어요.

복도에서, 계단에서 마주칠 때마다 저를 "초아"라고 부르시고 알아봐 주셔서 반 친구들도 저를 "초아"라고 불렀답니다. 그 단어를 계기로 선생님께서 절 기억해 주셔서 "choisir"이 단어는 절대 잊혀지지 않을 것 같아요. ㅎㅎ

저는 원래 그 과목 선생님이 좋아지면 더욱 열심히 하는 경향이 있는데 선생님께서 절 예뻐해 주셔서 불어 공부를 정말 열심히 했던 것 같아요. 정리도 하고 꼼꼼하게 공부하면서 질문할 것들을 표시해뒀다가 교무실 찾아가서 따로 여쭤봤던 거로 기억합니다. 그때 공부하면서 정리해둔 불어 공책 아까워서 안 버리고 잘 간직해두고 있어요! 아 선생님께서 감 깎아주셨던 것도 갑자기 생각이 나네요. (먹을 거 되게 좋아해서 더 좋았답니다. ㅎㅎ)

그리고 프랑스 대사님이 오시는 주간에 1층에서 공개수업했던 날도 기억이 나요. 단어나 문장 표현, 발음 같은 것들을 배운 다음 그냥 외우고 끝날 수도 있었지만 직접 대화문을 만들어서 발표했던 게 재밌었고 그때 받은 팔찌 아직도 가지고 있답니다.

한 학기 동안 열심히 했더니 좋은 성적을 받아서 되게 뿌듯했고, 예뻐해 주셔서 감사하다는 말 다시 한번 드리고 싶습니다. 3학년 올라가고 선생님 수업을 듣진 못했지만 마주칠 때마다 반갑게 맞아 주셔서 좋았어요.
프랑스 국빈 환영 만찬에 학생들과 가신 것을 뉴스에도 나와서 보고 저도 가고 싶다는 생각도 들었고 선생님이 정말 멋졌어요. 그다음으로 가장 기억에 남는 선생님과의 일화는 바로 수능 전날이랍니다.

예비소집일에 반별로 교문을 나왔는데 어쩌다 보니 제가 저희 반에서 거의 첫 번째로 교문을 나왔어요. 많은 선생님과 학생들 속에서 선생님이 가장 먼저 보였는데 선생님이 먼저 안아주시려고 오라고 손짓해 주셔서 가서 안겼던 게 잊히지 않아요. 정말 따뜻하고 힘이 되는 포옹이었습니다. 선생님은 정말 저에겐 엄마 같은 존재였답니다.

졸업하고 선생님을 찾아뵈려고 했지만 어쩌다 보니 광주에 있는 시간이 거의 없어서 못 찾아뵈었는데 벌써 졸업한 지 2년이나 흘렀네요.
저는 대학교 가서 1학년 1학기는 교양 때문에 성적이 살짝 좋진 않았는데 그래도 성적장학금 조금 받아서 그 이후로는 더 열심히 공부했어요. 그래서 1학년 2학기부터 지금까지 모든 과목 A+ 받아서 전액 장학금도 받고 중간중간 자격증도 따면서 열심히 살았어요!

얼마 전에 그만두긴 했지만 14개월 넘는 기간 동안 수학학원 보조 선생님 아르바이트를 했어요. 하면서 배우고 느낀 것도 많았고 옛날에 가졌던 수학 선생님이라는 꿈을 간접경험 할 수 있어서 좋았던 것 같아요. 그래서 여러 경험을 더 해보고 싶었는데 코로나로 별로 활동한 것은 없지만 작년에 과 학생회도 하고, 한 학기 동안은 인턴 장학생도 근무해 봤어요.

그 덕분에 조교님과 친분도 생기고 저를 추천해 주셔서 교수님 연구에 참여하는 학생연구원도 되었답니다. (이것도 코로나 때문에 활동한 것은 거의 없지만요⋯)

선생님 덕분에 프랑스에 대한 로망도 생겨서 여행 가보고 싶었는데 지금은 갈 수 없는 상황이라 아쉽지만, 꼭 가보고 싶어요.

지금은 이것저것 일들이 많아서 어렵지만, 나중에 여유가 생기면 불어를 제대로 배워 보고 싶어요! 고등학교를 생각하면 수업을 한 학기밖에 안 들었지만 제 고등학교 2학년 생활을 즐겁게 만들어주셔서인지 가장 생각난답니다.

스승의 날이면 항상 선생님이 제일 먼저 떠올라서 연락이라도 드리고 싶었는데 연락처가 없어서 못 드렸네요. 그래도 작년 스승의 날에 친구를 통해서 번호를 받고 연락드렸는데 기억해 주셔서 정말 기뻤어요. 그 기회로 명퇴 소식을 듣고 이렇게 문집도 작성하게 되어 다행이라고 생각합니다.

대광여고에 찾아가도 선생님이 계시지 않다는 것은 아쉽지만 저에게는 항상 멋있고 감사한 선생님으로 남아있어요. 37년 동안 정말 고생 많으셨고 항상 건강하시고 행복만 가득하시길 바랍니다. Merci!

잠깐의 쉼표, 새로운 시작

장미

선생님 안녕하세요. 저 장미예요. 고등학교 1학년 때 제2외국어 설명 오셨을 때 처음 뵌 이후 19년이 지났네요.

파란 교복을 입은 단발머리 학생에서 저는 가정의학과 의사로, 한 아이의 엄마로의 삶을 살고 있어요. 처음 교실에 오신 선생님을 뵙기 전까지 저는 프랑스어를 배우겠다고 생각해 본 적이 없었어요. 이과생인 저에게 사실 제2외국어는 생각 한번 해보지 못했었고, 공부 안 해도 성적이 잘 나오는 것을 택하면 된다고 생각하고 있었습니다. 하지만 교실에 오셔서 프랑스어에 대한 열정을 보이는 선생님의 모습에 감동하였어요. 전 그저 공부만 열심히 하는 학생이었고, 식견이 매우 좁았는데, 그날 선생님은 당신이 공부하는 언어의 매력과 또 그것을 바라보는 눈을 보여주는 멋진 설명을 해 주셨습니다. 또, 직업과 학문에 대한 긍지로 더 멋져 보였구요. 이후 프랑스어를 배우며, 프랑스 문화 반에 들어갔어요.

우리나라와 많이 다른 문화를 보며 새로운 지식이나 식견을 넓히겠다는 포부는 사실 조금은 핑계였고, 어린 마음에 멋진 여선생님의 귀염을 받고 싶었던 것이 컸습니다. 많은 프랑스어 배우는 학생 중의 하나가 아닌 불어동아리에 들어가면서 엄한 선생님이었지만 때로는 첫째 언니같이, 선배같이 조언도 격려도 많이 해 주셨습니다. 3학년이 되면서 이과로 가고 수능에서 이과생은 더이상 제2외국어가 필요하지 않아 프랑스어 공부는 하지 않게 되고 수업도 없었지만 지나가면서 늘 격려해주던 모습이 아직도 기억이 나네요.

그리고 지금 결혼을 하고, 아이를 낳고, 직장생활을 하며 보니 그때 학교에서 학생들에게 관심을 두고, 끊임없이 프랑스어 공부를 하시며 지식을 업데이트하시고, 또 자기 일에 긍지를 갖는 것이 얼마나 힘든 일인지를 알게 되었어요. 집과 가족들을 챙기다 보면 의사인 저도 환자 한 분 한분 챙기기가 쉽지 않은 일이고, 굉장한 에너지가 필요하다는 것을 알게 되었거든요. 선생님의 열정과 에너지에 감탄했어요.

이제 선생님께서 교단에서 내려오신다는 소식을 들었습니다. 늘 학생들을 생각하고 지금까지 여기에 서 있던 선생님의 모습을 봐왔기에 상상이 되지 않지만 늘 열정적이었던 선생님께 잠깐의 쉼표가 되고, 또 새로운 시작이 될 것 같은 느낌이에요. 멋진 선생님의 은퇴 후 새로운 삶이 항상 빛나길 바라며….

글솜씨가 부족한 제자의 글을 이만 마칠게요.

항상 건강하시고, 늘 행복하세요! 선생님 사랑합니다.

새로운 세상을 알려주시는 선생님

전금강

선생님!

머릿속에 떠오르는 이 장면 저 장면 지나가지만 정작 글로 쓰려니 단어와 문장으로까지 이어지지 않아 참…. 여간 민망한 게 아니더라 구요.

남들은 그동안의 노력에 대한 결실을 차분히 만끽할 나이에 저희는 새로운 도전으로 자리를 잡아가는 때라 신랑이나 저나 정신없던 요즘 샘 문집에 참여할 욕심에 마감(?) 시간 다 돼 컴퓨터 앞에 앉아 옛 추억을 되뇌던 짧은 시간이 저를 다시 한번 일깨워 주네요.

고등학교 때의 가슴 콩닥 이던 추억들이 너무 흐릿한 것도 있었지만 잠시 이런저런 생각에 젖어…. 뭐 하느라 그렇게나 여유 없이 보냈는지…. 갑자기 정신이 확 들었어요.

선생님을 만난 지도 벌써 30년이란 길목을 지나는 중이네요. 사실 고등학교 입학하던 때가 너무도 오래전 일이라 안개가 낀 듯 기억이 맞는지를 회상하게 됩니다.

그래도 잊지 못하는 것은 인생의 전환점의 한 지점이었기 때문인듯 싶습니다.

게임에서 1단계를 끝내면 2단계로 넘어가듯 중학교를 끝내니 자동으로 넘어갔던 고등학교였고, 특별히 인생의 목표가 정해지기 전의, 왜 공부해야 하는지도 정확히 인식하지 못하고 외국이란 관념이 오직 영어권, 특히 미국에만 국한되던 그때 새로운 세상(외국)을 알려주시는 선생님을 만나게 됐지요.

학력고사에 익숙해 국·영·수 에만 쏠리던 수업 중 있었던 불어 수업은 '새로움' 이였고 '배움의 즐거움' 이었습니다. 흰 우유만 있는 줄 알던 사고 속에 바나나 혹은 딸기우유도 있다는 걸 알게 됐던 사건 같은 거였죠 ㅎㅎ.

30년 전 선생님이 열정적으로 전해주던 달콤한 바나나 우유 같던 프랑스어가 현재 파리에 거주하고 있는 저에게는 살아가는 터전, 또 내 가족(아이들)의 제1언어가 됐습니다.

선생님과 파리 거리를 산책하고 다니던 기억, 오페라 광장에서 거리 음악을 듣던 기억, 아들, 딸, 그리고 신랑과 같이 선생님을 만나서 저녁을 사주셨던 공항 근처에서의 추억들이 새롭습니다.

이렇게 선생님 인생의 대부분을 열성 들여 교육자의 길을 걸어오며 양성과 국제교류에 온 열정을 쏟아붓더니 우리 대광여고를 지역사회에까지 연결하여 국제교류라는 큰 공적을 남기시고 교단을 떠나시네요.

처음 선생님의 퇴임 소식을 접했을 땐 아쉬움이 남았지만 코로나로 인한 시국이 시국이니만큼 선생님 건강에 대한 안전이 염려돼 금세 선생님 결정을 지지하고 있는 저를 봅니다. 비록 앞으로 대광고등학교 교단에서 선생님을 뵐 수 없는 게 아쉽지만, 인생의 새로운 막을 준비하시는 선생님을 멀리서 항상 지지하고 응원하겠습니다.

항상 건강하세요.

몽마르뜨 언덕의 기도

전혜인

2018년 국제교류 사전 답사를 위해 프랑스에 동행하였을 때, 선생님과 있었던 따뜻한 일화들이 많이 떠오릅니다.

한낱 고등학생이 국빈으로 타국의 궁전을 방문하고, 나아가 일생의 롤모델과 마주할 확률이 얼마나 될까요? 소식을 전해 들으며 초대장을 건네받았을 때도 가늠하지 못할 영광이라고 생각했습니다. 명망 높은 선생님의 주선으로 일생에 한 번뿐일 경험을 선물 받을 수 있었어요. 잔뜩 긴장한 저희를 이끌고 선생님께서는 여유로운 태도로 만찬에 임하셨지요. 실수하지 않게끔 자세한 요령을 지도해주시며, 혹시 모를 인터뷰에 대비한 답변 역시 원어로 작성하고 발음까지 들려주시는 세심한 배려에 정말 감동했습니다. 덕분에 떨지 않고 어색하지 않은 그림으로 자연스럽게 스며들 수 있었어요.

특히 강경화 전 장관님과의 대담을 알선해 주신 것이 아주 깊은 은혜로 남았어요. 장관님께 직접 저의 꿈을 고백하고, 북돋움을 받으며 미래에 대한 확신을 굳건히 하였거든요. 수험 생활 동안에도 강경화 외무부 장관님과 함께 찍은 사진을 인화하여 독서실과 제 방 벽에 붙여 놓고 의지를 다지며 공부하였어요. 삶의 전환점으로 삼을 만큼 진귀하였다고 역설하고 싶어요.

다음으로 몽마르뜨 언덕 위의 사크레쾨르 성당에서 선생님께서 저희를 위해 기도해 주셨던 것이 생각나요. 당시 언니들은 3학년을 앞둔 제법 예민한 시기를 지나고 있었고, 저는 막 1년을 끝마쳐 아직은 많이 어리숙한 상태였습니다. 손을 모은 채 함께 촛불을 켜며 모두의 희망과 안녕을 기원하는 일이 너무나 낭만적으로 느껴졌어요. 저희를 진심으로 아껴주시고, 행복을 비는 마음이 고스란히 와닿아서 더욱 그랬던 것 같아요. 선생님의 기도 덕분에 순탄히 고등학교 생활을 마감할 수 있었습니다!

추후 2학년에 들어 연말쯤 축제 행사가 있었을 때, 또한 선생님의 주선으로 필립 르포르 주한 프랑스 대사님과 '불한 하원의원 친선협회' 의원분들께서 우리 학교를 방문하신 일이 있었습니다. 강연을 듣는 것만으로도 크나큰 영광이었는데, 선생님께서 힘써주신 덕에 질의응답 시간을 통해 직접 프랑스어로 작문한 질문을 발언할 수 있었습니다. 유창하지 않은 언어였지만 선생님의 세심한 발음 지도와 교정을 빌어 비로소 명확히 전달하였고, 그에 응하는 유익한 답변까지 받았습니다.

프랑스어 수업의 전반에서도 얻어 간 것이 매우 많습니다. 막연히 오래 좋아해 온 언어를 더욱 흥미 있게 느끼고, 교내에서 우수한 성적을 거두며 전공으로까지 삼게 된 데는 선생님의 공이 컸어요.

가장 기억에 남는 수업은 역시 연극 수행평가가 아닐까 싶어요. 학생들이 즐겁게 임할 수 있는 수행평가를 연구·개발하신 것을 느낄 수 있었고, 실제로 연극에 사용할 소품인 음식이나 기타 준비물 등을 준비해 와서 실제로 프랑스 식당에 와 있는듯한 느낌으로 시식하는 연출도 재미있었거든요. 연습하는 과정에서 같은 조 친구들과의 우정 역시 깊어짐을 느꼈습니다.

늘 모두가 수업에 참여하게끔 열정적으로 유도하시는 모습이 정말 인상 깊었어요. 주요과목이 아니라 자칫 형식적인 수업이 될 수 있었는데, 종이 울리자마자 칠판 앞에 달려가서 아는 프랑스어 단어를 쓰고,

손들어 직접 발음해 보고. 강의형 수업과 참여형 수업의 조화를 가장 성공적으로 이뤄 낸 사례라고 생각합니다. 귀에 쏙쏙 박히는 재치 있는 설명들 덕에 복잡한 개념들도 어렵지 않게 터득할 수 있었어요. 고등학교 3년 중 단연 최고의 수업이었다는 건 여러 번 말해야 입만 아프죠!

선생님께서 보여주셨던 저를 향한 전폭적인 지지와 격려를 기억합니다. 종종 마주칠 때면 걱정 어린 말투로 저를 위해 주시고, 의지를 북돋아 주셨으니까요. 차마 가치를 환산할 수 없는 도움이었어요. 대학교에 붙었을 때도 함께 환히 기뻐해 주셨을 뿐 아니라 스무 권이 넘는 전공 서적들을 아낌없이 나눠 주시며 제 학업을 응원해주셨죠. 국내에서 구하기 어렵거나 선생님께서 아끼시는 책들까지 선뜻 건네주시는 걸 보고 다짐했어요. 부끄럽지 않은 제자가 되는 데서 그치지 말고, 정말 자랑스러운 제자가 되어 이 은혜를 갚으리라고. 이 자리를 빌려 분명하게 장담하겠습니다. 믿어 주신 만큼 꼭 성공으로 보답할게요.

지난 스승의 날에 부친 편지에서도 언급하였지만, 제가 대광여자고등학교를 1지망으로 적었던 것은 명망 높은 선생님께서 이곳에 계시기 때문이었어요. 졸업생인 친언니의 말을 통해서도 선생님의 역량을 짐작할 수 있었으며, 프랑스 정부로부터 교육 훈장을 받았다는 기사를 보고서 확신이 들었습니다. 대광여자고등학교에 입학하여 선생님께 프랑스어를 배우고, 삶의 전반을 대하는 태도 역시 닮아보겠다고. 원서를 쓸 적에는 다소 막연한 느낌도 있었으나 이제는 제 확고한 의지가 소원에 깃들어 현실로 만들어줬던 것이 아닐까 생각합니다.

기회는 예상보다 더욱 일찍 찾아왔어요. 국제교류 사전 답사 팀을 꾸린다는 공고문을 봤을 때 얼마나 심장이 빠르게 뛰었는지 몰라요. 당시 프랑스라는 나라에 대한 낭만이 컸고, 인솔 교사인 선생님과의 시간이 너무나 간절했던 저는 곧장 신청서 양식을 내려받아 제 진솔한 얘기들을 써 나가기 시작했습니다. 어떻게 하여 외교관의 꿈을 가지게 되었는지, 미래에 대한 계획이 얼마나 철두철미한지, 이 기회의 가치를 누구보다 잘 이해하고 있고, 걸맞은 사람이 되게끔 노력할 준비가 되었다고. 저의 이러한 진심이 선생님께 닿아 인연의 맺음이 완성될 수 있었겠지요. 긍정적인 방향으로 검토해 주셨던 점이 여전히 감사해요.

프랑스로 향하기에 앞서 격주마다 모여 다양한 활동을 진행하면서 선생님으로부터 많은 것을 배울 수 있었어요. 당시에 저는 해외여행이 처음이었는데, 선생님과 함께한 갖은 시뮬레이션과 연극 등을 통해 두려움 아닌 설렘만을 가득 안고 떠났던 것 같아요. 개인적으로 방문했다면 쉬이 지나칠 법한 풍경들을 다시금 돌아보며 깃든 역사와 연결 지어 해득하는 과정이 너무나 소중했고, 또 자연스레 나누는 서로의 감상들이 행복했습니다. 선생님의 지도 덕에 더욱더 유익한 시간을 보냈음이 틀림없어요.

이실직고하자면 그저 선생님의 눈에 들기 위해 애쓰던 날들이 있었어요. 오래도록 꿈에 그려 왔으니 당연하겠지만, 가끔 제가 아닌 제 모습을 꾸며 내고 있다는 마음이 들 때는 한없이 속상해지더라고요. 그제야 깨달은 것이 저는 있는 그대로 인정받고 싶지, 고상하게 가꾼 겉치레 따위로 인정받기를 바란 적 없다는 사실이었어요. 이후로는 정말 '좋은' 사람이 되고자 노력했어요. 그간 외면했던 빈틈을 지그시 마주하며 고쳐나가기 시작했고, 첫걸음에는 아주 멀게만 느껴졌으나 이제는 정상에 가까워졌네요. 저의 길에 이정표를 세워 주셔서 감사해요.

존재만으로 힘이 되던 선생님께서 교단을 떠나신다는 소식을 듣고 한참을 골똘히 궁리했습니다. 어떻게 해야 제가 고등학교 생활 동안에 선생님으로부터 받았던 특별한 은총을 아로새길 수 있을까 하고요. 턱없게 부족한 글솜씨지만, 진심을 담아 꾹꾹 눌러 쓴 저의 활자들이 다만 낱낱이 기록되어 증명해 주었으면 좋겠어요. 선생님을 만난 일은 마냥 짧지만은 않은 저의 생애에 가장 영광된 사건이었어요.

흔히 '교육의 질은 교사의 질을 넘어설 수 없다.' 라고 하지요. 『논어』의 한 구절을 가져오자면 교사는 사랑과 지혜를 갖춘 스승이어야 하고, 제자를 위한 열정에 불타며 말 없는 가르침을 보일 줄 알 뿐 아니라 스스로도 학문과 인격도야에 끊임없이 정진하는 구도자적 정신이 충만해야 한다고 해요. 이어지는 몇 토막의 글을 읽으며 곧장 선생님을 떠올렸습니다. 저 또한 교사의 자질에 대해 골몰해 본 시간이 있었는데, 선생님의 신념을 좇다 보면 그 정답이 보이는 듯했기 때문이에요.

마냥 유하기보다 조금은 엄격하되 속내는 틈 없이 따스한, 때에 따라 안아주거나 나무랄 줄 아는 현자(賢者)만이 진정한 자격을 갖춘 스승일 테고, 저에게는 선생님이 그러했습니다. 간혹 제 불찰을 꾸짖으시면서도 애정 섞인 걱정을 아끼지 않으셨으니까요. 모두 저를 위한 마음이었다는 걸 이제는 알아요! 살아온 날보다 살아갈 날이 더 많은 저는 무릇 선생님처럼 바른 어른으로 자라나야겠다고 다짐했어요. 아직은 많이 부족하지만, 선생님의 숱한 업적들을 거울삼아 아주 근사한 제자가 되어 이름을 빛내겠습니다.

제가 꿈을 꿀 수 있게 해 주셔서 감사해요. 훗날, 철자 바꾸어 꿈을 이룰 수 있게 해 주셔서 감사하다는 인사를 드리게 되는 때까지 치열하게 숨을 이어갈게요.

사랑합니다.

봉쥬 '흐'

정서현

Je m'baladais sur l'avenue le cœur ouvert à l'inconnu ♫ ♪
(샹송 샹젤리제)
Salade de fruits jolie, jolie, jolie Un jour ou l'autr' il faudra bien
qu'on nous marie! (샹송 살라드 드 프뤼)

선생님! 졸업한 지 벌써 15년여 시간이 흘렀습니다.

그런데 아직도 이 샹송 가사들은 너무나도 쉽게 흥얼거리게 되네요. 가요도 팝송도 아닌, 샹송을 이렇게 자주 흥얼거리는 한국인이 몇이나 될까요? 선생님은 이렇게 제 기억에 멋진 선물들을 참 많이 남겨주셨습니다.

학창시절, 선생님이 '비 오는 날 프랑스에서 여행하셨던 이야기', '거리에서 프랑스 집시들을 만났던 이야기', '에펠탑에 대한 이야기'들을 듣는데 얼마나 매력적이었는지 모릅니다. 그렇게 프랑스에 대한 환상은 시작됐고, 세련됐고, 도도하셔서 처음엔 다가가기 어려울줄 알았지만 알수록 정말 따뜻한 선생님의 마력까지 더해져서 학창 시절 내내 완전 사랑에 빠져서 선생님 뒤를 졸졸졸 따라다녔던 것 같습니다. ^^

불어반 학년 팀장을 하고, 축제 때는 샹송 공연 노래와 춤 연습을 하고, 바게트빵과 와인을 팔고, 요리조리 생각해가며 프랑스 문화 소개 판넬을 만들고. 그 와중에 생크림이 떨어져 선생님 댁 주변 베이커리에 찾아가 생크림을 공수해 오고~ 정말이지 선생님과 프랑스에 관해서라면 다른 입시공부도 다 제쳐두고 학창시절 내내 즐겁게 뛰어들었었어요. 선생님은 너무나 행복했던 기억들을 많이 남겨주셨습니다.

선생님이 가르쳐주신 대학 수시면접용 프랑스어 자기소개는 지금도 달달달 외우고 있어서, 대학생 때 해외 유학 가서 만난 유럽 친구들 앞에서 종종 써먹기도 했고요, 그때 배운 프랑스 문화에 대한 기억들, 와인에 대한 정보들은 아직도 제 얕고 넓은 교양의 원천이 되고 있답니다. 단연, 프랑스와 관련한 행복한 기억들도 많지만, 선생님은 내내 저를 많이 지지해주시고 도와주셨던 것 같아요. 한창 남북관계 개선을 위해 금강산 관광이 활성화되고, 교육부 지원으로 학생들이 금강산 육로 탐방을 할 수 있었을 때 일이에요.

선생님께서 좋은 경험하고 오라고 추천서를 써주셨죠. 덕분에 고2 크리스마스날 버스를 타고 38선을 넘어 북한에 가서 돈 주고도 배우지 못한 너무나 소중한 경험과 추억을 가지고 돌아왔었어요. 아나운서 시험 준비를 하는 동안에도 선생님은 관련 직종에 있는 학교 선배들을 소개해주셨고, 그렇게 함께하는 동안에도, 졸업 후에도 온 마음을 다해 아껴주셨던 것 같아요.

R(흐) 발음을 배운다며 파란색 교복을 입은 반 친구들 모두가 자리에서 선 채로 봉쥬 '흐'를 목이 아플 정도로 배우던, 선생님을 처음 뵈었던 그 날이 정말 그립습니다:)

방송국 아나운서 생활을 거쳐 어느덧 LG본사 홍보팀에서 방송을 만들고 있습니다. 종종 해외 촬영도 나가게 되는데, 밤늦게 프랑스에 도착해 다음 날 아침에 바로 네덜란드행으로 갈아타는 잠깐의 일정에 밤 9시 혼자 에펠탑에 나갔습니다. 추적추적 비가 내리는 에펠탑 바로 앞 까페에서 따끈한 코코아 한잔을 사서 비와 에펠탑을 하염없이 바라봤는데, 딱 주어진 짧은 시간 동안 학창시절 프랑스어 공부를 열심히 하던 생각과 더불어 선생님 생각이 참 많이 났습니다.

서울에서 집을 구한다고 돌아다닐 때도 선생님은 서울에서 공인중개사 지인분을 소개시켜 주신다고 하실 정도로 영원한 제자 챙기듯 언제나 함께 해주셨죠. 언제, 어디에 있건 함께 나이 들어가며 행복했으면 좋겠습니다. 선생님께서 마음 써주신 만큼 저도 더 잘하는 제자가 되겠습니다.

학창시절 참 예쁜 목걸이와 브로치들을 많이 하셨던 우리 선생님. 고3 졸업식 날 선생님께 나름 굉장히 고심해서 고른 브로치를 선물로 드렸던 기억이 납니다. 언제나처럼 그렇게 고고하게 예쁘게 건강하셔요. 고생 많으셨습니다. 감사합니다.

영어 교사가 될 수 있도록 길을 만들어

조아영

선생님 안녕하세요!

저는 1999년도에 입학한 조아영입니다.

고등학교 졸업한 지 벌써 19년이 흘렀네요. (으악!) 오랜 시간이 지나 기억이 흐릿하지만 몇 가지 기억만은 선명하게 남아있습니다. 선생님께서 열정적으로 수업하시는 모습, 프랑스 문화를 체험할 수 있도록 꾸며두셨던 교실 풍경, 교무실에서 원어민과 불어로 통화하신 모습을 보고 참 멋있다고 생각했어요.

선생님의 그 열정에 저도 불어 공부를 참 열심히 했어요. 그땐 모두가 불어 공부를 열심히 했지요. 제 기억이 정확하진 않지만, 쪽지시험을 봐서 틀리면 통과될 때까지 벽에 붙어 시험을 보곤 했어요. 불어 수업시간이 항상 긴장됐지만, 불어를 배우고 익히면서 뿌듯했어요. 그리고 또 하나 기억에 남는 것은 제가 학교 축제에서 불어 연극 무대에 섰던 것이에요.

불어를 뛰어나게 잘하지도 않았던 저에게 까마귀 역할을 주셨어요. 친구들과 선생님 댁에 찾아가서 연습도 하고 주말에 학교에 따님을 데려오셔서 소개도 해주셨죠. 연극 무대를 준비하면서 어렵기만 했던 선생님과 가까워진 것 같아서 기분이 좋았어요. 그리고 짧은 대사였지만 무사히 연극을 마치고 무대에 내려왔을 때 선생님께서 웃으시면서 칭찬도 해주셨지요. 그땐 선생님 칭찬받기가 워낙 힘들었을 때라 저 자신이 자랑스럽기까지 했답니다. 하하. 언어뿐만 아니라 그 나라의 문화까지 알게 되면서 외국어를 이렇게 재밌게 배울 수 있다는 것을 처음 알았어요.

"학창시절 중에 가장 기억에 남는 스승은 누구입니까?"라는 질문을 받으면 전 항상 고등학교 불어 선생님 (양수경 선생님)이라고 대답했어요. 선생님은 제가 영어 교사가 될 수 있도록 길을 만들어주신 분이세요. 제가 수능시험 후 진로를 정하지 못하고 있을 때 제 손을 잡고 담임 선생님께 찾아가 영어 쪽으로 학과를 추천해 주셨고 지금 전 영어 교사가 되었어요.

제 수업시간에 선생님께서 사용하셨던 수업방법들을 사용하고 있어요. 처음엔 아이들의 원성을 샀지만, 나중엔 "최고의 방법"이라고 칭송을 받았어요.

선생님께 자주 연락드리진 못했지만, 카카오톡 프로필 사진에서, 신문에 나온 선생님 기사, 사진들 보면서 선생님 안부를 알고 있었어요. 학생들과 함께 프랑스 국빈 만찬에 초청되셔서 찍으신 기념사진들을 보면서 가슴이 두근거리기도 했어요. 주변에 내 은사님이라고 자랑하기도 했어요. 외국어를 가르치고 있는 교사로서 많은 생각과 다짐을 했어요. 선생님 이제 교단을 떠나시지만 제 마음속에 선생님은 영원히 최고의 은사님으로 남아있을 거예요. 퇴직 이후의 선생님 인생을 응원합니다. 늘 건강하시고 사랑합니다.

반드시 염두에 두어야 할 단어 '때'

조아윤

선생님께서 벌써 37년 동안 긴 세월을 교직에 계시고 명예퇴직이라니…. 제가 산 세월보다 훨씬 많은 세월이네요. 저는 이직을 몇 번 하고 지금 현 회사에서 6년차인데요. 회사 하나 다니는 것도 15년, 20년이면 정말 긴 세월인데 37년이라니…. 새삼 선생님이 더 대단해 보입니다.

선생님께선 어떤 마음이실까요? 시원섭섭하시려나요. 저는 지금 같아선 이직하고 싶은 심정…… ㅎㅎㅎ

선생님과의 추억을 생각해보려고 하니……. 선생님과의 추억이 아니라 그냥 고등학생 시절의 추억이 잘 떠오르지 않네요. 어째서인지 친구들은 학창시절을 많이 기억하곤 하던데, 전 왜 잘 기억이 나질 않을까요? 하하 친구들은 잘 기억하곤 하던데 친구들이 말해도 그랬냐고, 그랬었냐고 이렇게 되더라구요.

처음 입학시험을 치르러 가서 선생님과 첫 만남이 있었던 것 같은데... 제자가 이렇게 기억력이 없네요. ㅎㅎㅎ 아련한 추억을 생각해보면, 저는 얼타고 있었던 것 같은데 그 얼타고 있는 저를 귀여워하며 보셨던 기억이 납니다. 그때 뭔가 제가 준비물을 가져오지 않아 허둥댔던 것 같아요.

또 다른 추억이 무엇이 있나 하면, 그래도 선생님과 사진 찍은 게 있을 텐데 하고 오래된 앨범을 꺼내 들었습니다. 덕분에 사진 찍었을 당시의 추억이 떠오르더라고요. 1학년 때 에버랜드 놀러 간 것, 소풍 간 것, 등. 그리고 축제 때 chanson을 부른 추억….

사진을 보니 chanson 부를 2년 했더라고요. 마치 제 기억엔 3년 한 것 같았는데 아무래도 고3일 때는 안 했을 테니까요.

축제 때 미술실이었나 그곳에서 프랑스를 알리고, 바게트와 생크림을 사 와서 조금씩 잘라 판매했던 기억도 나고…. 지금에 와서 30대가 되어 생각해보니 고등학교에 다니던 저는 참 얼빵하게 귀여웠던 것 같아요. 바게트를 잘라도 잘 못 자르고, 크림도 손에 다 묻히고 ㅎㅎㅎ 의욕은 넘치는데 말이죠.

프랑스어 성적은 좋지 않아도 뭔가 모사하는 건 잘해서 발음은 쪼~끔 남들보다 잘했던 것 같기도 하고요. 지금…. 프랑스어는 인사말 정도만 기억할 뿐이지만, 고등학생 때 선생님을 만나게 되고, 프랑스어를 제2외국어로 선택한 것은 틀림없이 잘한 선택이었습니다.

페이스북을 통해 선생님의 업적을 볼 때마다 "이분이! 이 대단한 분이! 내 선생님이셨다."라는 혼자만의 뿌듯함이 차오른다고나 할까요.

프랑스어 보급에 힘쓰시고, 친근하고 쉽게 이해할 수 있도록 선생님만의 교수법을 연구해 실천하셨다 등의 이유로 프랑스 정부 훈장도 받으시고…. 그것도 프랑스에서 받게 된다니요. 얼마나 대단하신지 정말 멋지십니다.

앞에서부터 계속하는 말이지만, 저도 이제 10대가 아닌 30대가 되어보니, 하나를 지속하여 연구한다는 것은 꽤 힘든 일이라는 걸 매우 느낍니다. 좋아하는 일이면 그렇게 할 수 있을까요? 저도 프랑스어를 유창하게 하고 싶은 마음은 아직도 여전히 들면서도, 영어도 제대로 못 하는데…. 라는 생각이 들었고, 이런 생각을 할 때마다, 선생님께서 페이스북에 작성해두신 글이 생각나더라고요. 세상을 살며 반드시 염두에

뒤야 할 단어 중 하나는 '때'라고. 그 글을 다시 한번 찾아봤습니다.

"세상을 살며 우리가 반드시 염두에 두어야 할 단어들이 몇 개 있다. 그중 하나가 바로 '때'라는 단어다. 해야 할 일을 제때 못하면 나중에 그 일을 하고도 욕을 먹는다. 신중함이 지나치면 우유부단함이요, 세상일에 저울질이 너무 심하면 주변 사람들을 잃는다. 꽃봉오리가 항상 봉오리가 아니듯 시간이 사람을 기다려주지 않음을 깊이 재인식해야 할 때다."

이 글이 어찌나 공감되고 와닿던지요. 그러나 아직도 시작을 못 한 저는 우유부단함이 여전한가 봅니다.

2012년인지 2013년쯤인지 그때 선생님과 인사동 쌈지길에서 만나 길거리를 거닐고 식사도 하고 차도 한잔하며 이런저런 이야기를 나눈 것도 기억납니다. 그리고 선생님과 함께 커플팀 목도리를 사서 저에게 선물해주셔서 하나씩 가진 기억도 나구요. ㅎㅎㅎ

뭔가 잘되어서 선생님과 지속적인 연락을 하고 싶었는데, 그렇지는 못해서 자주 연락을 드리지 못해 항상 죄송한 마음뿐입니다.

무사히 정드셨던 교단을, 아름답게 떠나게 되신 것을 다시 한번 축하드립니다. 매우 수고하셨습니다.

존경하고 사랑하는 선생님, 늘 건강하시고 행복하세요.

"충분히 잘하고 있어"

조원영

선생님과 함께한 이야기가 너무 많다.

우선 선생님의 첫인상부터 말을 해보자면 선생님은 사실 처음 봤을 때 카리스마가 너무 느껴져서 조금 무섭게 다가왔다. 워낙 선생님께서는 대광여고 학생들 사이에서도 원칙적이고 단호하기로 유명했기 때문이다. 마냥 엄격하고 무서우실 줄만 알았던 양수경 선생님과의 프랑스어 수업은 2학년 2학기 때 처음으로 듣게 되었다. (그 당시에는 제2외국어가 집중이수제여서 학기에 집중적으로 몰아서 수업했던 것 같다.)

아니나 다를까 선생님께서는 특유의 멋진 아우라를 뽐내며 수업을 진행하셨다. 왜인지는 모르겠지만 그때의 나는 선생님께 프랑스어 수업을 열심히 듣는 학생 중에서도 최고가 되고 싶었다. 인생에서 쉽게 접하지 못한 프랑스어를 운 좋게도 접하게 되었고 나름 최선의 노력을 쏟아부었다. 하지만 프랑스어 자체가 너무 생소했기 때문에 실수하기도 하였다. 프랑스어 숫자 공부를 하는데 나도 모르게 선생님이 17이라는 숫자가 무엇이냐는 질문에 "세븐틴!"이라고 대답을 해버렸다. 대답한 순간 아차 싶었던 나는 다시 정정해서 답을 하였는데 선생님께서는 그 부분을 그냥 넘어가시지 않고 친구들 앞에서 혼을 내셨다. 선생님의 그 단호함은 나에게 있어 좋은 자극제가 되었다.

말을 하기 전에 실수를 덜 만들기 위해 경각심을 가지는 방법도 알게 되었다. 이후에는 더 좋은 모습을 보여 드리기 위해 집에서도 따로 프랑스어를 열심히 공부하고 노력을 하게 되었다. 그렇게 나는 프랑스어에 자연스럽게 관심을 많이 두게 되었다. 이러한 관심을 가지고 운 좋게 2018년 10월에는 프랑스 몽펠리에 있는 장 모네 고등학교와의 국제교류 프로그램 참가자를 뽑는 오디션에 발탁되어 선생님과 몇 명의 친구들과 학교 대표로 프랑스에 가게 되었다.

대표라는 것이 되게 막중한 책임을 지게 되는 자리라 엄청나게 큰 부담이 되기도 하였지만, 선생님께서 주말마다 국제교류에 참여하게 되는 학생들을 모아 사전교육을 하셨다. 프랑스어 기본 회화도 익히고 프랑스 문화에 이야기, 그리고 이런저런 인생 이야기도 함으로써 선생님의 카리스마 넘치는 모습 말고도 다정한 모습도 엿볼 수 있었다.

그렇게 조금씩 프랑스를 가기 위한 준비를 하고 선생님의 주도하에 국제교류 프로그램을 따라 프랑스에 가게 되었다. 프랑스에서는 수도 없이 많은 일화가 있었지만, 그중에서도 아침 일찍 일어나서 선생님과 산책을 하면서 이야기를 나눈 것이 기억에 가장 남는다. 선생님도 부지런하신 편이셨고 나도 아침에 일찍 일어나는 타입이라 선생님과 나 그리고 혜인이까지 세 명이 짧게 아침 산책을 하는 시간을 가지게 되었다. 산책하는 동안 개인적인 이야기도 많이 했고 주변에 있는 명소설명도 들으면서 즐겁게 지냈다.

특히 이맘때쯤에는 고 3이 되는 것에 대한 걱정이 많을 때라 수험생활에 대한 고민을 털어놓기도 했는데 이때 한 이야기 중에 선생님께서 "충분히 잘하고 있어." 라는 말이 고3 수험생활을 하면서 많이 위로되었던 것 같다.

또 하나 기억에 남는 일은 프랑스에서 대광여고를 졸업한 선배님들을 만난 것이다. 선배들이 선생님을 만나자마자 크게 반기고 좋아하는 모습을 보니 선생님을 따르는 멋진 제자들이 많다는 것을 느꼈다. 선배들과 대화를 해보니 아니나 다를까 멋진 선배들이었다. 선배들과의 대화 속에는 양수경 선생님은 모든 수업에 최선을 다하고 열정이 가득하신 분이라고 하셨다.

선생님을 만난 것은 큰 행운이라고 하셨다. 선생님 제자로서 프랑스어를 접하고 그것이 선배들이 프랑스에서 살게 된 첫 디딤판이 되었다고 했기 때문이다. 아마 선생님은 여러 제자의 인생에 있어 큰 영향을 미치셨을 것이다. 이외에도 선생님께서고 2인 나에게 고3 수험생활을 잘해보자면서 펜던트를 주시면서 나를 안아주셨다. 이후 나는 프랑스를 갔다 와 서 선생님께 더욱 의지하기 시작했다. 물론 선생님께서도 나에게 많이 관심을 두시고 챙겨주신 것도 안다. 공부에 노력을 많이 안 했던 나에게 항상 격려와 함께 일침도 날려주셨고 덕분에 학교생활을 게을리하지 않고 최선을 다했던 것같다.

선생님이나 한에 쏟은 관심을 보답하고 싶기도 하였고 선생님의 제자로서 부끄럼이 되지 않기 위해서 성적을 조금씩 올려나갔다. 고등학교 2학년 때부터 3학년 때까지 꾸준한 선생님의 관심이 없었다면 발전이 더뎠을 것이다. 나에게 있어 양수경 선생님은 너무나 존경스럽고 소중한 선생님이다. 선생님처럼 많은 사람에게 영향을 끼치는 인물로 성장해서 선생님께 보답하는 날이 왔으면 좋겠다.

명퇴에 즈음하는 제자의 느낌

내가 2년 동안 옆에서 지켜본 선생님은 한 가지 일이라도 열심히 하시고 사소한 일이라도 대충 하는 법이 없는 선생님이었던 것 같다. 한번은 선생님이 프랑스에서 너무 무리하셔서 많이 아프셨던 적이 있다.

또 한번은 눈물을 보이셨던 적도 있다. 선생님도 똑같은 사람이었다. 나도 프랑스에서 자료보관이라는 작은 역할에도 책임감이 생겨 힘들었는데 선생님께서는 모든 것을 총괄하셨으니 힘든 것은 당연하다. 아마 선생님께서는 학교일 뿐만 아니라 우리들을 챙기는데에도 많은 에너지를 쓰셨을 것이다. 그런데도 선생님께서는 내색하시지 않으려고 많이 노력하셨다. 이제 와서 다시 생각해보면 책임감이 되게 크시고 몸이 상하시더라도 맡은 본분에 있어서 최선을 다하는 선생님이 너무 존경스럽다고 생각한다. 선생님께서 은퇴하신다는 소식을 듣곤 이렇게 멋있는 선생님 밑에서 수업을 못 듣는 후배들이 안타깝기도하고 한편으로는 지금까지 스승으로서 대광여고에 몸을 담고 많은 공을 세우셨으니 이제 충분히 휴식하시면서 선생님이 좋아하시는 여가생활을 많이 즐기셨으면 하는 바람이다. 몇십 년을 학교에 스승으로서 계속 지내다가 명퇴를 하심으로써 선생님께서 공허함을 느끼게 되겠지만 선생님 덕분에 많은 제자가 울고 웃고 많이 성장했다는 것을 아셨으면 좋겠다. 코로나로 인해 선생님의 명퇴를 보지 못해서 아주 속상하지만 남은 시간은 많으니 코로나 사태가 조속히 나아지면 더욱 성장한 모습으로 뵙는 날만이 오기를 기다린다.

　　선생님 정말 수고 많으셨습니다. 학교를 재학할 당시에는 표현을 잘하진 못했지만, 선생님 제자가 된 것이 정말 행복합니다. 지금 국제학교 대학교에 재학 중인데 선생님 덕분에 프랑스어에 관심을 끌게 됨으로써 이 학교에서 프랑스인 친구들을 많이 사귀어서 배웠던 프랑스어를 잘 사용하고 있어요. 선생님의 가르침 덕분에 국제적인 친구들도 많이 사귀게 되었고 뿐만 아니라 그런 친구들에게 한국의 문화를 공유할 수 있는 것이 너무 뿌듯해요. 프랑스어 구사를 더욱 유창하게 하여 외교적인 일로 한국에, 제 몫을 다하는 멋진 사람이 되도록 노력할게요.

영원한 멘토

조현주

1993년 대광여고 1학년에 입학해서 제 나이 45살이 되기까지 긴 인연의 끈을 놓지 않고 이렇게 선생님의 제자로 한 페이지를 채울 기회를 주셔서 감사드립니다.

20년도 더 넘은 고교 시절이지만 제가 학교에 다녔던 그 시절은 스마트폰은커녕 컴퓨터도 인터넷도 보급이 많이 되지 않았었기 때문에 선생님을 통해 보고 듣는 것이 지식의 많은 부분을 차지했고 또 이른 아침 등교해서 저녁 늦은 시간까지 학교에서 보낸 시간이 많았던 터라 아직도 많은 것들이 희미하게나마 기억에 많이 남아있습니다.

긴 파마머리에 뿔테 안경을 쓰고 다소 날카롭고 무서운 듯 보였던 선생님과의 첫 수업, 첫 만남이 아직도 기억납니다. 프랑스어라는 아주 생소한 언어를 처음 배우기에 잔뜩 기대하고 앉아있었는데 선생님의 멋진 비음 섞인 유창한 프랑스어 발음을 듣고 저는 첫 시간부터 프랑스어와 선생님에게 빠질 수밖에 없었습니다. (저의 프랑스어 실력은 ^^;;) 매서운 눈초리로 쳐다보시며 톡 쏘는 듯이 얘기하실 땐 처음에는 무서운 분이라고 생각했지만, 수업시간을 통해 만나는 시간이 길어지면서 참 따뜻하고 학생들을 잘 챙겨주시는 분이라는 생각이 들었습니다. 그리고 프랑스어 대한 사랑과 열정이 대단하셨기 때문에 그것이 수업을 통해 고스란히 학생인 우리에게 전달되었고 덕분에 저는 아직도 그때 선생님께 배웠던 기본적인 인사말 이외에 몇몇 단어들과 문장들을 기억합니다. ^^

Je ne parle pas français. Je suis coréen. bateaux mouches, aller동사 등등.

선생님에 대한 또 다른 기억은 선생님께서 노래를 정말 잘하신다는 것입니다. 저는 아직도 선생님께서 프랑스 국가를 불러 주셨던 기억이 납니다. 남의 나라 국가에 관심을 끌게 된 게 그때가 처음이자 마지막이었던 것 같습니다. 그리고 우리에게 쉬운 동요를 가르쳐 주셨는데 저는 아직도 그 동요를 기억하고 있답니다. 우리에게도 친숙한 멜로디인 바로 이 동요였지요.

Papa aime Maman - Mimi hetu (아빠는 엄마를 사랑해요)
Quel beau temps aujourd'hui c'est dimanche.
Dans les bois ils s'en vont tous les deux.
Gentiment sur sa joue il se penche.
Lui et elle, elle et lui sont heureux.
Papa aime maman. Maman aime papa.
Papa aime maman. Maman aime papa.

또 다른 추억은 저의 고교 시절 풋풋하고 순수한 짝사랑에 관한 것입니다. 저는 수업에도 안 들어오시는 다른 학년 선생님의 미소에 반해 아무개 선생님을 짝사랑하게 되었습니다. 수업에 안 들어오시기 때문에 어떻게든 저의 존재를 알리고 싶었는데 그런 사실을 양수경 선생님께서 아시고 나름 다리 역할(^^)을 해주신 덕분에 아무개 선생님께서 저를 알아주시고 팬 관리 차원에서(^^) 문제집도 챙겨주셨습니다. 그때의 기쁘고 벅찬 마음은 지금도 잊을 수가 없네요.

선생님께서는 수업시간에 수업 이외에도 프랑스 문화나 프랑스에 여행 가셨던 이야기들을 해주셨는데 그때까지 외국을 한 번도 나가본 적 없는 저에게는 그 이야기가 너무나 신기하고 재미있어서 엄청 몰입하면서 들었습니다. 제가 2011년도에 남편과 함께 파리 여행을 가게 되었는데 그때 선생님께서 해주신 이야기들이 많이 생각났고 직접 보고 느낄 수 있어서 더욱 의미 있었습니다. 비록 유창하게 프랑스어를 할 수는 없었지만, 남편 앞에서 나 고등학교 때 불어 배운 여자라고 으스대며 잘난 척을 할 수 있었답니다.

제가 고3이 되었을 때는 안타깝게도 고3 교육과정에 프랑스어 수업이 없어서 선생님과 수업시간에 만날 수 없었습니다. 그렇지만 학교 계단이나 복도에서 오다가다 마주칠 때마다 잊지 않고 관심을 보여주셔서 늘 감사했습니다. 그리고 저에게 정말 저를 간파하신 조언을 해주셨지요. '넌 독기가 없어 문제야.' 안타깝게도 여전히 독기를 품고 무언가를 열심히 파는 성격이 아니라 고만고만한 작은 성취만을 해가며 살고 있습니다. ㅠㅠ 선생님 말씀을 가슴 깊이 새기고 독기 품고 공부했으면 지금보다 더 나은 위치에 올라 있지 않을까 싶기도 하네요. ^^

대학교 4학년 때 교생실습을 모교인 대광여고에서 하게 되었습니다. 모교라서 더 긴장되고 조심스러웠지만, 다행히 선생님께서 살뜰히 챙겨주셔서 편한 마음으로 있을 수 있었습니다. 공개수업 전에 같은 과목도 아니고 담당이 아니신데도 여러 가지 조언을 해주신 덕분에 무사히 수업을 마칠 수 있었습니다.

제가 결혼을 하고 남편을 인사시켜 드렸는데 공교롭게도 제 남편이 존경하는 모교 은사님과 양수경 선생님이 가깝게 아시는 사이라 제 남편을 친제자처럼 더 가깝고 편하게 대해주셨습니다. 그리고 아이를 낳고 연락이 조금 뜸해지다 다시 연락되어 어린 딸아이를 데리고 선생님을 찾아뵈었는데 제 딸아이를 예뻐해 주셨던 기억도 납니다.

한번은 선생님을 만나기로 약속을 하고 학교로 찾아뵙기로 했는데 제가 학교에 도착했을 때 수업 중이셨던 선생님께서 저를 수업에 들어오게 하셨고 까마득히 어린 후배들에게 저를 소개하시고 잠깐 이야기를 나눌 시간을 주셨습니다. 그때 저도 이미 교사였지만 선생님 앞이라 떨리고 쑥스러웠습니다. 그동안 산만하고 정신없는 중학생들만 가르쳐온 저에게 초롱초롱한 눈망울로 집중하며 바르게 앉아 제 얘기를 들어주던 복숭앗빛 얼굴의 어리고 예쁜 여고생 후배들의 모습은 정말 신선한 충격이었습니다. 그때 선생님이 정말 부러워서 '아 저도 저런 아이들과 수업하고 싶어요.'라고 여러 번 말씀드렸었지요.

그동안 연락도 뜸해서 늘 죄송스러운 마음을 가지고 있었는데 카톡을 통해 선생님의 명퇴 소식을 듣게 되었습니다. 찾아뵙지도 못하고 제대로 연락도 못 드리고 산 지가 10년 가까이 되어가지만, 모교인 대광여고에 가면 상징처럼 거기에 항상 계실 것 같은 선생님께서 명퇴하신다니 여러 가지 생각이 들었습니다. 그중 저에게 가장 먼저 느껴진 마음은 왠지 모를 허전함이었습니다. 지금 교사의 길을 가고 있는 저이기에 든든한 동지 한 분을 잃어버린 듯한 기분이었습니다. 자주 만나 뵙지는 못해도 같이 힘든 길 가는 멘토와 같은 분이셨기에 더욱 그런 마음이 들었나 봅니다.

선생님이 안 계신 대광여고는 상상이 되질 않습니다. 물론 3년 동안 여러 좋은 선생님들과 담임 선생님들이 계셨지만, 저의 많은 고교 시절 기억이 선생님과 함께한 기억이 더 많아서인 것 같습니다.

저에게는 "대광여고 = 양수경 선생님"이라는 공식이 있었는데 이제 그 공식이 깨어진다니 슬픈 마음이 듭니다.

선생님의 교직 생활을 축복하고 명퇴와 제2의 인생을 진심으로 마음껏 축하하고 응원해 드리고 싶은 마음이 들었습니다. 신문기사에도 날 정도로 늘 열심히 가르치셨고 수많은 제자를 길러내신 선생님~~~ 이제는 여유롭게 편히 쉬시면서 더 행복하셨으면 좋겠습니다. 선생님 ~~ 존경하고 사랑합니다. 선생님은 저의 영원한 멘토이십니다. ^^

You light up my life

조혜인(불어를 사랑하는 조직 총 회장)

오늘은 2021년 2월 1일이에요. 고등학교에 입학한 연도를 적고 보니 갑자기 지나온 세월의 무게가 훨씬 더 무겁게 느껴지는 듯해요. 무려 20년이 넘는 시간의 수많은 지점에 선생님과의 소중한 추억들이 켜켜이 쌓여있는데 어떤 것을 먼저 끄집어내 어떤 말로 담아야 할지 막막하기만 합니다….

여기까지 쓰고 나니 손가락이 쉽사리 움직일 생각을 하지 않아 깜빡이는 커서만 보며 멍하게 있다가 문득, 배가 고파졌어요. 하하. 머리가 잘 안 돌아갈 때는 일단 뭐든 입에 넣어 주고 배와 두뇌를 함께 어르고 달래 줘야 운동을 시작하는 법이잖아요? 그래서 냉장고로 슬금슬금 걸어가는데 베란다에 내놓은 귤이 딱 눈에 들어오는 거예요.

귤. 그치, 겨울에는 역시 귤이지. 아, 작년 그 귤 맛있었는데…. 하며 작년 겨울을 떠올렸어요. '주소 보내라' 문자 하나에 곧바로 답신을 보냈고, 얼마 지나지 않아 제주도에서 커다란 귤 상자 하나가 집으로 날아왔지요. 매끈하고 동그란 귤은 물론이고 살짝 거뭇한 자국이 있어 조금 못나 보이는 귤마저도 너무나도 새콤달콤 맛있었어요.

그 맛있는 귤 상자가 도착한 날은 마침 증미역에 가서 선생님을 만나고 온 날이었어요. 커피를 마시고, 찜닭을 먹고, 이마트에서 함께 신발 쇼핑을 하고 처음으로 코인 노래방에도 함께 갔던 그 날을 기억하세요? 헤어지는 발걸음 떼기가 아쉬울 정도로 즐거웠던 날이었지만 제 두

손에 들린 가방과 신발이 또 집에 가는 내내 제 마음을 행복하게 만들어 주었어요.

그날 선생님께서 부르신 수많은 노래 중에서도 단연 'You light up my life'는 제 가슴을 뭉클하게 했어요. 노래방에서 거의 20년 만에 다시 들은 선생님의 노래였거든요. 고등학교 때 불어반 아이들과 기차를 타고 선생님과 목포로 겨울 여행을 갔을 때의 이야기는 역시 빼놓을 수가 없네요. 목포의 한 노래방에서 처음으로 선생님의 노래를 듣고 나서 "노래 잘하는 사람들이 외국어도 잘한다"라는 속설에 한껏 더 믿음을 갖게 되었죠. (하지만 다시 지금의 저를 돌아보며 역시 노래만 잘하는 것으로는 부족하다는 생각을 해 봅니다. 이 와중에 저 스스로 노래는 잘한다고 생각하는 게 웃기죠? 크크) 모르셨겠지만, 그 노래는 제 가슴에 깊이 남아 그날 이후 꽤 오랫동안이나 제 팝송 18번이 되었답니다.

그때는 수업시간 외에도 학교 선생님과 함께 그렇게 학교 밖에서 추억을 만들 수 있다는 것이 참 신기했던 것 같아요. 아니 지금 다시 생각해도 신기한 일, 정말 대단한 일이에요. 어떤 선생님이 그렇게 학생들을 데리고 나가서 함께 시간을 보내고 이끌어주실 수 있으시겠어요?

사실 저는 고등학생 때 예쁨 받을 만한 학생은 전혀 아니었잖아요. 공부에는 흥미도 없고 잠도 많아 늘 졸고 혼나기 일쑤라 예쁨은커녕 매 학기 담임선생님들의 '주의할 인물' 리스트에 올랐을 학생이었죠. 그렇게 불성실하고 전교에서도 잠 많기로 유명했던 제가 정신을 번뜩 차리게 되는 역사적인 날이 있었으니…!! 선생님도 그날이 기억나시지요? 그날은 찬바람이 쌩쌩 불어 교실에서는 난로가 돌아가고 있던 날이었어요. 과목과 선생님을 가리지 않고 공평무사(?)하게 아무 때나 졸던 저였지만! 그런 저라도 선생님께 만큼은 미움받고 싶지 않고, 불어만큼은 잘하고 싶다는 욕심이 있었어요. 그래서 정말 선생님 시간만큼은 졸지 않고 열심히 들으려고 굳게, 정말 굳게 다짐을 했지만…. 습관이란 게 무섭다고 해야 할지…. 바로 옆에서 열심히 돌아가고 있는 난로의 따스함에 본능이 굴복해 버린 것인지…. 저는 또 잠들고야 말았죠.

2학년 5반 45번 조혜인! 제 인생의 전환점이 된 순간은 바로 그날이 아니었을까 싶어요. 그날 이후에 저는 새로운 모습으로 불어를 정말 더 열심히 공부하기로 마음먹었고 대학에서도 프랑스어과에 합격해 불어를 전공하게 되었으니까요. 저는 정말 선생님 덕분에 불어를 공부하며 배우는 재미, 도전하는 기쁨과 성취감을 알게 되었어요. 주로 대학생들이 응시하는 언어인증 시험인 델프 시험에 도전해서 합격하고 정부 장학금을 받아 프랑스 연수를 다녀오고 교생실습을 하고 장차 교사의 꿈을 키우고 마침내 학생들을 가르치는 일을 하는 지금의 제가 되기까지…. 어느 것 하나 선생님의 영향을 받지 않았던 것이 없네요.

비록 불어 공부를 지금껏 꾸준히 이어오지는 못해서 늘 마음 한구석이 무겁고 아쉽지만…. 선생님 덕분에 지금껏 인생의 수많은 갈림길에서 저에게 좋은 선택, 옳은 선택을 하며 지금껏 걸어올 수 있었다고 생각해요. 제 인생의 나침반이 되어주신 선생님, 그저 감사하는 말로는 다 표현할 수 없을 만큼 감사하고 또 존경합니다. 20여 년 전 그 어느 날 이후 제18번이 된 노래 제목처럼 You light up my life!

저는 선생님과의 일화를 다 쓰려면 며칠 밤을 새워도 모자랄 것 같아요. 고등학생 때 와인에 대한 보고서 쓴 일, 복도 저 멀리서 선생님이 오시기 전부터 운율에 맞춰 손뼉 치며 큰 소리로 동사 변화형을 외치던 순간들, 지금도 생생하게 남아있는! 불어 암송 대화문, 생크림 바른 바게트 맛에 중독되었던 축제, 고3 시절, 델프(DELF) 시험 준비하며 함께 선생님 집에서 합숙한 일, 그리고 선생님 댁에서마저 늦잠 자서 또 혼난 일(정말 저는 구제 불능이네요. 크크), 벌벌벌 떨었던 교생실습 수업, 학교 놀러 갔다가 후배들 수업 참관도 하고 염창동 선생님 따님 집에서 삼겹살 구워 먹은 일(흑흑 제 인생 삼겹살...), 미림이랑 살던 가양동 집에서 지수랑 넷이 함께 잤던 날, 옷 쇼핑, 액세서리 쇼핑했던 날들... 인사동, 동묘, 대학로, 용산역, 고속터미널, 서초동, 이화여대, 국립중앙박물관, 광화문 등 수 많은 세월 동안 서울의 다양한 곳에서 좋은 이야기들을 들었던 수많은 시간들... 그 모든 시간이 소중한 추억이 되었어요.

그래서 저는 지금도 큰 장식이 달린 목걸이나 예쁜 스카프를 볼 때, 함께 먹었던 학교 앞 찜닭집을 지나갈 때, 맛있는 삼겹살을 구워 먹을 때, 그리고 베란다에 내놓은 귤을 보는 순간마저도 자연스럽게 선생님을, 그리고 우리의 추억을 떠올리게 돼요.

빨리 이 코로나 상황이 나아져서 함께 몸에 좋고 맛도 좋은 음식도 먹으러 가고 노래방도 가고 여행도 떠나면 좋겠어요. 특히 선생님과 프랑스에서 만나는 것은 정말 포기할 수 없는 저의 꿈이에요! 언젠가는 선생님께서 퇴직하시는 날이 오리라고 생각은 했지만, 막상 그날이 다가오니 '벌써?'라는 생각이 먼저 듭니다. 하지만 대광여고라는 테두리 밖에서 더 자유롭게 새로운 발걸음을 걸어 나가실 것을 생각하면 기대가 되고 더없이 축하드립니다! 선생님, 이제 앞으로는 꽃길만 아니 수경 길만 걸으세요. 저는 조심스레 그 길 뒤를 총총 따라가겠습니다.

선생님, 사랑합니다!

때로는 따끔하게, 때로는 따뜻하게

조휘빈

"오늘 수업 잘 들으면 면접 후기 알려줄게!" 라고 귀엽게 말씀하시던 양수경 선생님. 그리고 궁금해서 더 눈빛 빛나게 하고, 괜히 허리 한 번 더 펴고 수업을 들었던 제 모습, 친구들의 모습이 떠오릅니다. 수업은 말할 것도 없고, 선생님께서 수업 외적으로 해주시는 이야기도 너무 재미있어서 선생님의 밀고 당기기는 항상 성공적이었습니다.

한 번은 선생님께서 영어로 면접을 보고 오신 경험을 이야기해주신 적이 있습니다. 대입 면접, 취업 면접이 전부인 줄만 알았던 저에게는 큰 충격이었습니다. 면접 자체에 대한 충격보다는 면접을 대하는 선생님의 자세, 주어진 환경, 자리에 안주하지 않고 다가온 기회에 열과 성을 다하시는 모습이 저에게는 선한 충격으로 다가왔습니다.

벌써 몇 년이 지난 순간인데도 아직도 선생님께서 외국인과 만나 회화 연습을 하고, 면접에서 순발력을 발휘하셨던 이야기가 머리에 선명하게 남아있습니다. 또한, 생생하게 면접 상황을 설명해주시며, 여러 명이 함께 임하는 면접에서 면접관들이 다른 면접자의 발표를 피드백해보라는, 당황스러운 질문을 던질 수도 있다는 점을 알려주셨습니다.

실제로 제가 대학교에 진학하여 삼성카드에서 주관하는 대외활동 면접에서도 비슷한 방식으로 면접이 진행되었고, 저는 그 순간 마음속으로 '선생님 감사합니다!!' 를 외치고 긴장하지 않고 면접을 잘 볼 수 있었습니다. 이 일화 이외에도, 선생님께서 수업 시간마다 보여주셨던 진심과 열정은 훗날 저희가 살아가는 자양분이 되고 있다는 점을 꼭 말씀드리고 싶었습니다.

친구들과 함께 쉬는 시간부터 선생님을 기다리며 프랑스어 표현을 암기하던 기억이 생생합니다. 선생님께서 들어오시면 떨리는 마음으로 외웠던 표현을 말하고, 선생님께서는 온화한 미소를 지으시며 노트에 동그라미 표시를 해주셨지요. 프랑스어 단위 수가 늘어나면 좋겠다. 2학기에도 프랑스어 시간이 있으면 좋겠다는 생각을 참 많이 했었습니다.

선생님과 함께하는 수업시간이 너무나도 소중하였고, 선생님을 존경하고 좋아하다 보니 자연스레 프랑스어를 잘하고 싶다는 생각이 들어 선생님 말씀 하나라도 놓치지 않고 열심히 공부했던 기억이 납니다. 그리고 선생님께서는 복도에서 마주치면 항상 파이팅을 외쳐주시고, 때로는 따끔하게, 때로는 엄마처럼 따뜻하게 격려해주셨지요.

선생님의 명퇴 그리고 앞으로의 아름다운 인생도 그 누구보다 응원하겠습니다. 앞으로도 선생님의 가르침 잊지 않고, 좋은 기억으로 남는 제자로 살아가겠습니다. 이 기회로 선생님께 한 번도 제대로 전달하지 못했던 감사함을 전달할 수 있어 기쁩니다. 선생님, 늘 건강하시고 이제는 마음 편히 휴식을 취하시면 좋겠습니다. 감사합니다. 그리고 사랑합니다.

자기관리의 끝판왕 !!!!

주초은

양수경 선생님이 교환 교사로 프랑스에 갔다 오셔서 프랑스 원어민 선생님과 함께 오신 게 기억에 많이 남아요. 선생님이 프랑스 학교에서 학생들과 있었던 일화들을 소개해주시면서 진심으로 즐거워하시는 모습이 너무 보기 좋았기 때문인 것 같아요. 프랑스 원어민 선생님과 양수경 선생님이 함께 들어와서 수업하는 시간엔 평소보다도 훨씬 열심히 수업에 참여했던 기억도 나고요! 프랑스에서 오신 선생님께 양수경 선생님과 우리 관계는 이렇게 돈독하다~라는 걸 보여주고 싶어서 발음도 엄청 굴리고, 수업 대답도 엄청 크게 해서 원어민 선생님이 저보고 발음 좋다고 해주셨어요. 뭔가 양수경 선생님의 자랑거리가 된 것 같아서 기뻤습니다. 흐흐

제가 불어를 열심히 공부했다고 생각했는데, 선생님과 일대일로 말하기 테스트를 볼 때면 항상 테스트에 떨어져서 몇 번을 다시 봤던 기억이 나요. 말하기 연습해가서 선생님께 테스트를 보면 항상 땡! 하고 떨어져서 다시 줄 서서 외우고⋯. 연습하고⋯. 또 시험 봤다가 떨어져서 줄 서서 연습하고⋯. 신기한 건 그렇게 틀리고 다시 시험 보게 되면, 다른 과목이었다면 저 자신한테 실망스럽고 화났을 것 같거든요. 그런데 선생님과 시험을 볼 때는 너무 재밌어서 시간 가는 줄 모르고 매일 즐겁게 테스트를 봤던 기억이 나요.

프랑스어 말하는 게 공부가 아닌 놀이처럼 느껴져서 그랬나 봐요. 졸업한 지금은 그런 수업을 들을 수 없다는 게 아쉽고 씁쓸합니다.

지금도 생각나요. 불어가 어렵게 느껴져서 불포자(불어포기자)가 생길 법도 한데, 저희 반 모든 학생들이 양수경 쌤께 잘 보이고 싶어서 다 같이 불어 공부를 열심히 했었거든요. 불어가 어렵다고 말하는 친구들도, 불어가 재밌다고 말하는 친구들도 수업시간엔 모두 양수경 선생님을 존경하는 눈빛이었어요. 거기다가 쉬는 시간마다 친구들은 프랑스어를 복습하고, 선생님은 그런 학생들을 위해 쉬는 시간에 쉬지도 않고 봐주시고. 모든 학생의 시선을 집중시켜 공부 동기를 일으키시는 능력이 너무 멋져 보여서 지금까지도 제 멘토! 하면 양수경 선생님이 떠올라요. 저도 그렇게 많은 이들에게 영감을 주고 존경받는 사람이 되고 싶어서요.

이때까지 만난 선생님 중에 가장 교육에 대한 열정이 식지 않으면서도 선생님의 커리어도 계속해서 갱신해나가시는 분은 양수경 선생님밖에 못 본 것 같아요. 학생들을 진심으로 걱정해서 잘되길 바라는 마음에 충고하시는 멋진 선생님이신데, 제가 교사라면 귀찮아서 학생들의 그런 부분들을 봐도 그냥 대충 넘길 것 같거든요. 이런 진심을 학생들도 잘 알기 때문에 지금까지 선생님을 따르는 학생들이 많은 것 같습니다. 이때까지 인연을 맺은 학생들만 해도 수백 명, 수천 명이시라 지치실 법도 한데, 정말 존경합니다!!

더 멋져 보이는 부분은, 이렇게 학생들을 진심으로 걱정하고, 교육에 대한 열정도 놓지 않으시는 선생님이 선생님 자신을 위해서도 많은 부분을 투자하고 계시다는 점이에요.. 자기관리의 끝판왕!!!! 선생님의 과목인 프랑스어에 대한 열정도 뛰어나셔서 프랑스학교와 교환 교사를 갔다오셔서 저희들에게 뜻깊은 경험도 선물하시고, 방학 때마다 프랑스에서 공부하다 오셔서 이야기보따리 풀어주시기도 하고, 프랑스에 한국 교사 대표로 초대받아 갔다 오시기도 하고, 대통령과 유명인사 모임에 대광여고 제 후배들과 함께 갔다 오신 것까지...

제가 알지 못하는 부분은 더 많겠지만, 이 점들만 봐도 제가 양수경 선생님 아래서 불어를 배웠다는 게 정말 자랑스러워져요. 몇십 년을 그렇게 한결같이 멋진 교사 인생을 살아오신 건지 저로선 가늠도 안 돼요…. 저 또한 열정 넘치는 사람이 되고 싶어 동기부여 팍팍 옵니다!!!

제가 나중에 임용고시에 합격하고 교사가 되면 같은 교사로서 선생님을 뵈러 가고 싶었는데, 이번에 명퇴하신다는 소식에 정말 아쉬웠어요. 너무너무 아쉽지만, 제 학창시절 존경했던 선생님 모습 떠올리면서 닮아가기 위해 노력하겠습니다. 지금도 교직 수업시간만 되면 양수경 선생님이 수업하시는 모습들이 불현듯 떠올라요. 이제 곧 학생으로서 신분이 다 끝나가는 제가 만났던 선생님 중 양수경 선생님이 최고세요. 제게 즐거운 추억을 남겨주신 것과 선생님처럼 살고 싶다는 동기부여, 프랑스어에 대한 애정 대물림까지…. 선생님과 이렇게 좋은 인연을 맺지 못했다면 제 성장은 지금보다 더 더뎠을 것 같아요. 제게 좋은 영향 주셔서 정말 감사합니다!!

PS. 선생님 저 요즘 프랑스어 인터넷 강의로 다시 조금씩 공부하고 있어요. 선생님으로부터 전수한 불어 실력으로 대학교 2학년 때 교양 프랑스어 강의에서 에이스로 휩쓸었답니다!! 프랑스어 교수님이 발음 너무 좋다고 칭찬도 하시고(양수경 선생님의 특별 강의를 통해 얻은 초고급 발음) 에이스로도 불렸어요.ㅎㅎ 고등학교 때 프랑스어 공부했던 즐거운 기억 덕분인지 영어보다 프랑스어에 더 애착이 가게 돼서 지금도 혼자 프랑스어를 공부하게 되더라고요.

이 편지를 쓰기 직전에도 프랑스어 인터넷 강의로 공부하고 왔습니다~~ 다음 학기에는 프랑스 원어민 교수님 수업 들으려고 계획 다 세워

높았어요!! 불어과 학생들보다 더 불어 잘해오겠습니다! 거기서도 프랑스 에이스 타이틀 얻고 프랑스어 공부 맘껏 해와서 양수경 선생님께 또 자랑할게요. 아직도 불어 왕초보 실력이긴 하지만 꾸준히 공부해서 나중에 선생님처럼 교직 생활 중 방학에 프랑스 한달살이 해보려고요.

저 완전 양수경 선생님 따라쟁이인가요.... 아 그리고 더 잘하게 되면 선생님 뵐 때 프랑스어로 테스트 보러가겠습니다. 선생님과 프랑스어로 대화하기 도전!!

불어 부장의 추억

진유리

제가 2학년 때 마술부 동아리가 만들어졌어요. 축제 무대에 올라갈 대표를 뽑는 오디션이 열렸고 저는 신문지 마술을 준비했어요.

똑같은 신문지 2부가 필요한 마술이었는데 신문을 구독하고 있는 친구가 없어 신문지 구하기가 쉽지 않더라고요. 선생님들께 부탁을 해보려고 교무실에 들어가긴 했는데 누구에게 어떻게 부탁의 말씀을 드려야 할지 난감해서 눈치만 보고 있었어요. 그러다가 선생님께서 그런 저를 보시고 그냥 지나치실 수도 있는데 무슨 일인지 먼저 물어보셨고 신문지를 구해주셨어요. 구해주신 그 신문지로 마술을 했고, 오디션에서 대다수 학생에게 표를 얻어 축제 무대에서 마술 공연을 하는 색다른 경험을 할 수 있었어요.

저는 교사가 되는 것이 꿈이었는데 그때까지는 막연히 '교사가 되면 좋겠다.'라고만 생각했는데 선생님의 이런 모습을 보고 '양수경 선생님 같은 교사가 되어야겠다.'라고 마음먹었어요. 이 일뿐만 아니라 학생들이 조금이라도 더 즐겁고 재미있게 그리고 잘 프랑스어를 익힐 수 있도록 다양한 방법으로 수업을 하시는 모습도 멋져 보였고, 자신이 가르치는 과목에 대한 전문성과 자긍심이 온몸에서 느껴지는 것도 멋있어 보였거든요. 1학년 때까지는 교사에 대한 막연한 꿈만 꾸고 공부는 열심히 하지 않고 왜 이렇게 학교생활이 힘든지에 대해 고뇌하고 있었다면 이쯤부터 제가 정한 목표를 이루기 위해 공부를 열심히 하기 시작했어요.

그 덕에 지금은 선생님과 마찬가지로 교직에 몸담고 있네요. 물론 그때 결심한 대로 선생님 같은 교사가 되기엔 아직 너무 멀었고, 교사가 되고 나니 선생님 같은 교사가 되는 것이 쉬운 일이 아니라는 것을 매년 느끼고 있어요.

지금도 그러는지 모르겠는데 제가 학교에 다닐 때는 제2외국어로 프랑스어와 일어를 선택할 수 있었어요. 프랑스어를 선택하게 된 이유는 단순했어요. 언니가 프랑스어를 선택했고 〈불어 부장〉이라는 것을 하고 있었는데 양수경 선생님이 좋다며 추천해줬거든요. 프랑스에 대해 알고 있는 거라고는 에펠탑뿐이었지만 언니가 좋다고 말해준 양수경 선생님이 궁금했고 프랑스어라는 것도 신기해 보여 선택했어요. 다른 친구들은 수능 점수와 관련해서 열심히 고민하던데 지금 생각해보면 저는 참 단순했네요. 하지만 그 선택에 후회는 없고 지금도 정말 잘한 선택이라고 생각해요.

그런데 선생님과의 프랑스어 수업이 재미있어지고 언니가 했던 〈불어 부장〉 나도 하면서 선생님이 점점 좋아졌는데 과연 선생님도 날 좋아할까 하는 쓸데없는 고민이 들더라고요. 그래서 선생님께 먼저 다가가고 싶었지만 머뭇머뭇했는데 선생님께서 먼저 다가와 주셨어요. 수능이 끝나고 선생님께서 과외를 소개해주셨어요.

지금 생각해보면 교대에 수석으로 합격한 것도 아니고 그냥 평범하게 들어간 제자에게 이런 제안을 해주신 선생님이 놀라워요. 이런 제안을 해주신 것만 봐도 저를 아껴주신 것 같은데 전 뭐가 그렇게 걱정스러웠을까요. 그 당시엔 선생님의 이런 마음을 잘 몰라서 프랑스 여행 중 선생님께 드리려고 모아온 티켓이며 수업에 쓸만한 자료들을 선생님께 선뜻 드리러 가질 못했어요. 필요 없다고 하시면 어쩌지 하는 괜한 고민 때문에요.

그렇게 교사가 된 후에는 방학이 아니면 선생님을 찾아뵈러 갈 시간이 없었고 방학에는 대학원 수업과 충전의 시간을 갖는다며 바빠 점점 선생님께 연락을 못 했고 연락을 못 한 기간이 길어질수록 내가 누군지 잊으셨으면 어쩌나 하는 마음에 더더욱 연락하기가 두려워지더라고요. 그러다가 정말 운명같이 제 결혼식 몇 주 전에 양가 부모님과 식사하는 자리에서 선생님을 만났어요. 그때 인연의 끈을 계속 붙잡고 있어야 했는데 또 기간이 길어졌고 이번에 선생님의 명퇴 소식을 언니를 통해 접했어요.

이때도 '왜 나한테는 연락이 안 오지, 역시 나는...' 이런 생각을 하다가 출산 직후 정신없이 휴대폰 번호를 바꾸게 되었고 그때 제가 먼저 연락처가 바뀌었다고 연락을 못 드렸다는 사실이 떠올랐어요. 선생님께서는 사정을 들으시고는 그럴 수 있겠다며 저의 출산을 먼저 축하해 주셨죠.

항상 이 핑계 저 핑계로 연락을 주저하는 못난 제자지만 선생님 덕분에 제 고등학생 시절이 더 풍성할 수 있었고, 교사라는 꿈을 이룰 수 있었어요. 선생님의 새로운 시작을 응원할 수 있어 기쁘고 감사해요.

선생님의 명퇴 소식을 처음 들었을 때는 너무 빨리 학교를 떠나시는 게 아닌가 놀랐습니다. 그만큼 선생님의 수업은 선생님의 나이와 상관없었고 선생님의 열정 또한 나이와 상관없었습니다. 같은 교사로서 선생님의 명퇴가 아쉽고 선생님의 수업을 듣지 못할 후배들이 못내 아쉽습니다.

선생님이 계시지 않는 학교가 무척 쓸쓸해 보일 것 같지만 선생님의 새로운 인생이 시작되는 것은 무척이나 축하드리고 응원해 드릴 일이기에 앞으로의 선생님 인생에 새로운 꽃길이 시작되는 것을 축하드립니다.

어쩌다 마주친 그대

최금비

처음 2학년 7반 와서 자기소개 했을 때 기억나는데 제가 9반에 쌍둥이가 있다는 사실을 소개했을 때 다음 수업이 9반이라 가서 확인하셨다고 했던 거 생각나요.ㅎ

은비가 수업 끝나고 저를 찾아와서 우리 반에 동생이 있다고 얼굴을 보고 그랬었다는데 그냥 재밌었어요. 사실 제가 엄청난 에피소드를 가진 게 아니라서 그냥 소소한 이야기뿐이지만 저는 항상 선생님께 먹을 걸 드리러 교무실에 갔던 게 생각나요.

집에서 싸 온 김밥이 있는데 친구한테 선생님께서도 김밥을 좋아하신다고 들어서 쫄래쫄래 갔었고 샤인머스켓을 가져와서 혹은 알록달록한 방울토마토를 가져와서 나눠 먹은 게 생각이 나요. 선생님께서도 가끔 초콜릿이나 비스켓등 선생님의 간식을 나눠주셨고 바게트에 생크림을 발라서 저희들에게 나눠주셨던 기억이 있어요. 저도 항상 맛있는 게 있으면 친구들하고 나눠먹는 게 너무 좋았는데 선생님께도 드리면서 교무실에 다른 선생님들께도 드리고 나오면 왜 그런지 모르겠지만 뿌듯하더라고요.

어깨가 안 좋으신 엄마를 주물러드렸던 그 악력으로 선생님 어깨도 주물렀던 기억 등 여러 가지 기억이 속속 떠올라요. 학교 합창제에서 저희 '어쩌다 마주친 그대' 를 노래할 때 선생님께서 우! 하는 부분에서 DAB(댑)하는 참신한 아이디어도 주시고 사실 엄청 실망스러운 결과에 많이들 울었을 때도 우리가 가장 잘했다고 격려해주셨을 때 위로받은 때가 기억이 나요.

선생님 교직 30년 정도에서 저는 3년만 같이 보내서 선생님께서 저에게 임팩트가 강하게 있는지는 잘 모르겠지만 저는 초등학교, 중학교, 고등학교를 통틀어서 제가 생각하는 가장 멋있으신 선생님이라고 말하고 다녀요. 수업 중이나 시간 나실 때 이야기해주시던 에피소드들이 엄청 자존감 있던 일이라서 뭔가 제가 우물 안 개구리라는 사실을 상기시켰던 거 같아요. 선생님께서 프랑스 국제교류 관련 일들도 2018년 저희 담임선생님 하실 때 엄청난 일을 맡으셔서 스트레스받으셨고 2019년 제가 고3이었을 때에는 은비랑 지나가다가 선생님 봤을 때 살이 빠져 보이셨어요. 제가 이런 말 하면 어떻게 생각하실지는 잘 모르겠지만 선생님께서 신경 쓰시는 일을 손에서 놓는 게 더 좋으시지 않을까 하는 생각도 들기도 했답니다 하핫.

항상 모든 것 다 떨치고 프랑스 가서 좀 지내고 싶다고 하신 말씀이 너무 신기했어요. 프랑스가 그만큼 편하신 거 같아서 해외에 가보지 못했던 저에게는 나름대로 신선한 충격이었던 거 같아요. 선생님은 프랑스에서 지내시면 더 행복하실 거 같기도 해요. 가서 살거나 오래 머무시게 된다면 꼭 프랑스에서 선생님 픽한 음식들, 장소들도 가보고 싶어요.

선생님께서 저희 쌍둥이를 주머니에 넣어서 프랑스 데려가고 싶다는 말이 많이 웃겼는데 지금 생각하면 기발하고 가능하다면 정말 따라가 보고 싶을 정도예요. 제가 느끼는 선생님께서 퇴직하시는 기분보다 선생님 스스로 어떻게 생각하실지도 궁금하네요. 엄청 피곤하신 모습도 봐서 그런지 시원섭섭한 감정이 가장 적절할 것 같아요.

2021년에는 계획하시는 일이 있으시면 선생님 방식대로 밀고 나가실 그거로 생각합니다. 언제나 건강 챙기시고 진짜 행복한 선생님 일상을 응원하겠습니다. 존경하고 감사하고 사랑합니다. ♥

금비인 척 은비인 척

최은비

선생님! 저는 은비예요. 저는 선생님반 학생이 아니였는데 금비 언니 따라다니면서 많이 눈에 보이셨을 거라 생각해요. 언니는 7반이었고 저는 9반이었는데 쉬는 시간마다 7반에 있었던 기억이…. 다른 반 학생이 태연하게 교실에 앉아있었던 거죠. ㅎㅎ 일란성 쌍둥이여서 장난 아닌 장난을 쳤었는데 절대 안 넘어 오시더라고요.

하루는 제 담임선생님이신 이은주 선생님께서 동아리 시간에 책 가지러 온 저를 붙잡고 양수경 선생님을 놀려보자!!~ 라고 하시면서 금비인 척하라고 하고 7반에 밀어 넣으셨던 거 기억하세요? 그때 저희 쌍둥이를 못 알아보시는 분은 이은주 선생님이셨는데…. 저는 7반 문을 열고 들어갔을 때 선생님 표정이 아직도 기억나요. '얘가 왜..?'라는 표정이셨는데 그리고 제 손을 붙잡고 담임선생님께 가서 담임이 쌍둥이 구분도 못 하는 줄 아느냐고 한마디 하셨었죠. ㅋ

하루는 집에서 챙겨온 과일들이 맛있어서 교무실에 선생님께 들고 갔던 기억도 나고 7반 친구들 따라가서 선생님이 사주신 마늘빵이랑 바게트랑 여러 가지 얻어먹은 기억도 있고 야자 시간에 사탕 나눠주신 기억도 나고…. 어째 다 먹는 이야기로 가득한 것 같네요.;;

선생님을 찾아가면 해주시던 이야기들도 잘 기억하고 있답니다.^^ 저희 가르치셨을 때는 선생님이 곧 그만두고 프랑스로 날라버릴 거라고 하셔서 혹시 명예퇴직하신다는 이야기일까? 라고 잠깐 생각했어요.

그때도 그렇고 작년에 선생님 뵈러 갔을 때도 그렇고 선생님이 가르치시는 것보다 다른 학교 일들로 가득해 보여서 선생님이 하고 싶은 일 했으면 좋겠다고 생각했었어요. 근데 명퇴를 하신다고 들으니 뭔가 제가 다 시원하기도 하고 아쉽기도 해요.

코로나19 때문에 프랑스로 날아가실지는 모르겠지만 앞으로 선생님이 하시고 싶은 일 모두 하시면 좋겠고 저 같은 학생도 있었다고 기억해 주시면 정말 감사할 것 같습니다. 선생님, 정말 정말 존경합니다. 제가 만난 선생님 중에 가장 존경하고 사랑합니다.♥

"잘하고 있고 앞으로도 잘할 거야"

최서영

양수경 선생님과의 일화라고 하면 가장 먼저 떠오르는 일이 있습니다. 아직도 그때의 감정이 생생해질 정도로 제 마음에 깊이 남은 일이었습니다.

저는 고등학교 2학년 때 이과에 재학 중이었는데, 진로에 대한 오랜 고민 끝에 제과제빵사의 길을 택하게 되었고 그 과정에서 문과로 반을 옮기는 일이 있었습니다. 당시 담임선생님께서는 문과로 옮기는 것에 대해 부정적인 의견을 내놓으셨습니다. 저는 오랜 고민 끝에 결정한 저의 꿈이 응원보다는 걱정을 먼저 받는 것이 섭섭했고, 한편으로는 자신감이 떨어져서 앞으로 잘 할 수 있을지 막연한 불안감을 더하게 됐습니다.

3학년이 되자마자 자격증 시험 준비로 바빠졌고, 동시에 모든 수험생이 느낄 입시에 대한 불안감 때문에 여유가 없이 지냈습니다. 그러던 2019년 5월 15일, 스승의 날에 양수경 선생님을 뵈러 갔습니다. 선생님께서는 국제교류 때문에 프랑스에 가셨다가 스승의 날 전날에 귀국하셨었는데, 제가 인사를 드리러 갔더니 갑자기 제게 선물이 있다고 하시면서 프랑스에서 직접 사 오신 바게트를 선물해주셨습니다. 그러면서 제게 훌륭한 파티시에가 되려면 잘 만든 빵도 먹어봐야 하는 거라고, 잘하고 있고 앞으로도 잘할 거라며 훌륭한 파티시에가 되기를 바란다고 응원해주셨습니다.

제가 제과제빵사가 되기로 마음먹은 이후로 받았던 가장 따뜻한 응원이었습니다. 불어 수업 때 열심히 하려고는 했지만 특출난 학생은 아니었고, 살가운 성격이 아니었던 저를 기억해 주신 것도, 제 꿈을 기억해 먼 타지에서 바쁜 일정 속에서도 저를 챙겨주시려는 그 마음에 너무 감동하여서, 제 고등학교 생활에서 가장 기억에 남는 일이기도 합니다.

덕분에 저는 입시 스트레스 속에서도 저를 응원해주는 사람이 있다는 것에 힘을 받아 지치지 않을 수 있었고, 결과적으로 원하던 학교, 원하던 학과에 입학해서 하고 싶은 공부를 이어가고 있습니다.

선생님의 명퇴 소식은 대학교 기숙사에서 지내던 중에 고등학교 동문에게 듣게 되었습니다. 고등학교를 졸업한 이후 타지에서 대학교 생활을 했고, 코로나 사태가 터지면서 더 뵙기 힘들어져 한 번밖에 뵙지 못하였는데 그 한 번의 만남에서도 미래에 대해 불안해하는 제게 응원과 격려를 아끼지 않으셨던, 양수경 선생님은 제가 지금껏 살아오며 만났던 선생님 중에서 가장 열정적으로 수업하셨고, 제자들을 사랑하시는 분이십니다.

처음 소식을 접했을 때는 교직을 떠나신다는 사실이, 제 후배들은 선생님의 수업을 받지 못한다는 것에 아쉬운 마음이 들었지만 이내 선생님께서는 교직에 계시지 않으시더라도 배우는 것을 멈출 분이 아니시고, 그래서 앞으로도 주변 사람들에게 다양한 가르침을 주는 삶을 사실 것이라는 생각이 들었습니다.

표면적으로는 불어를 배웠지만, 저는 선생님과 함께했던 1년 동안 언어뿐만이 아닌 항상 당당하고, 열정적이고, 솔직하고 정직하게 살아야 한다는 삶의 태도를 배웠다고 생각합니다. 저의 스승이 되어주셔서 너무 감사했고, 퇴직 이후 선생님께 덜 힘들고 덜 아프고 더 행복하고 더 보람찬 일들만 가득했으면 좋겠습니다. 사랑합니다!

선생님과의 단둘이 바르셀로나 여행

한 나

　　선생님과의 일화를 생각하면 생각나는 것이 한두 개가 아니지만, 하나하나 기억해보자면 먼저 첫 특기·적성 시간에 왜 프랑스어를 배워야 하는지 한 명씩 나와서 발표하라고 하셨는데 그때 어찌나 떨리던지, 그때는 몰랐지 내가 지금까지 프랑스어와 사랑에 빠질 줄은.

　　Je m'appelle Helene과 Pinocchio를 열심히 외워서 알리앙스 프랑세즈에 가서 보졸레 누보 파티에서 공연하던 날. 온통 프랑스어인 세상이 신기했고, 처음 맞는 보졸레 누보에 신나서 종이컵으로 한 컵 받았던 와인을 홀짝홀짝 마시다 보니 얼굴이 벌게져서 취했던 날.

프랑스어를 좋아하는데 프랑스어를 그렇게 못하는 제자는 나 말고 또 있을까. 2학년 때 드디어 불어를 수업시간에 배우게 되고 과목별 부장을 뽑는데. 왈가닥에 공부도 열심히 하지 않던 나와 우리 반의 또 다른 불어 사랑쟁이 선아 둘 다 불어 부장만큼은 포기할 수 없다고 우기는 바람에 우리 반은 불어 부장이 둘이었다지. 다른 반보다 제일 예쁜 반이 되고 싶어서 선생님 오시기 전에 얼마나 손뼉 장단에 동사 변화를 외웠던지 (아직도 동사 변화는 머릿속에 있습니다)

　　선생님과 틈만 나면 써서 드렸던 일기장이라고 해야 하나? 편지라고 해야 하나?

　　하여튼 노트에 그날 있었던 일, 고민거리, 주절주절 써서 선생님 책상에 올려놓고 그다음 날 선생님께 받은 코멘트에 얼마나 행복했던지. 성적 떨어지면 더 이상 쓸 수 없다고 하셔서 더 열심히 공부했던 기억고3 수능 하루 전날 선생님께서 동전 하나씩 주시면서 행운의 동전 이라고 분명 내일 시험 잘 볼 거라고 꼬옥 안아주시던 날 프랑스어를 너무 좋아하지만, 프랑스어를 잘 못 하는 내가 어쩌다 불문과를 입학하게 되고 풀죽은 나에게 괜찮다고 격려해주시면서 프랑스어를 열심히 설명해주시던 선생님 모습. 대학 졸업반 교생실습으로 다시 대광여고를 찾은 한 달. 연구부 선생님으로 다시 오신 선생님 덕분에 그 어떤 학교에서 교생실습 받은 것보다 빡세게 교생 실습했다고 자부할 수 있다. 아이들이 하나하나 다 노트필기 할 수 있도록 하는 판서 연습, 시험문제 출제할 때 어떻게 해야 하는지 시험지 한 장을 만들어 갔을 때, 교사의 태도 및 마음가짐 어느 것 하나 힘들지 않은 것이 없었다. (교사에게 그렇게 큰 노력이 필요한지 그전에는 잘 몰랐던 것 같다.) 그럼에도 그때 연습한 덕분에 현장에서는 매번 칭찬받으며 살았더랬지.

　　대학을 졸업하고 인생이 답답하고 암흑기 같았던 시절, 한동안 선생님께 연락을 드리지 못하는 시절이 있었다. 대학 졸업 후에 잘 나가는 다른 제자들에 비해 내가 너무 초라해 보여서 감히 연락을 드릴 수가 없었다. 부끄러웠고 '나중에 잘되면 멋진 제자 모습으로 나타나야지' 하고 항상 다짐하곤 했었다. 어느 날 갑자기 울리던 전화 그리고 선생님. 평생 안 보고 살 생각이냐며, 잘된 제자만 제자이고 그렇지 않은 제자는 제자로도 안 여기는 선생님으로 만들 거냐며 호통치시던 그 날. 엄마와 마트에서 장 보던 중으로 기억하는데 그 자리에서 펑펑 울었던 기억이 아직도 난다.

　　어쩌다 보니 파리에 가게 되고, 내가 꿈에 그리던 유네스코의 문턱을 밟아보게 되고 선생님께 파리에 가게 되었다고 말씀드렸더니 그해 여름 파리로 날아오셨다. 그 전해에 프랑스에 오셔서 프랑스에 오실 일이 전혀 없는 해였는데 파리로 날아오셨을 때의 그 감동이란. 선생님께

서 몽땅 싸 오신 한국 음식들을 먹으면서 행복했더랬지 :)

선생님께서 프랑스인과 대화할 때의 그 멋진 아우라. 그리고 프랑스인들에게 대광여고생들에게 한마디씩 부탁한다고 수업자료를 만드시는 열정. 너무 멋있었다.

그 당시 나의 파리 하우스메이트 어머니께서 파리에 와계시던 타임인데, 나를 어찌나 구박하셨던지…. 우리 엄마도 한국에 있는데 새삼 서러울 때 선생님께서 파리에 등장하셔서 이 아이가 이렇게 멋진 애라고 그 친구 어머니께 말씀해 주셨다. 너무 든든하고 행복했다.

선생님과의 단둘이 바르셀로나 여행. 이 일화는 너무 할 이야기가 많아서 뭐부터 적어야 할지 흐흐흐 런던 올림픽 기간이었는데 바르셀로나 숙소에서 함께 올림픽 보면서 선생님과 응원하던 일, 빠에야와 상그리아, 플라멩고 공연, 바르셀로나 람블라스 거리, 구엘공원, 사그라 파밀리아 성당. 바르셀로나 분수 쇼, 피카소 박물관, 바르셀로나 이곳저곳은 모두 다 선생님과의 추억이 한껏 담긴 곳
한국에 잠깐씩 들어올 때마다 선생님과 걸었던 충장로 거리, 프랑스 영화, 그리고 월계수 식당 :)

파리에서의 기억 하나 더 from 예리언니 :D

파리의 둘째 날.
저녁에 한나의 best of the best가 다 모였다.
불어를 하게 된 한나 인생의 멘토이자 maman professur 양수경 선생님, 보미, 파리에서 대학을 다니고 있는 선생님의 제자 은선이 그리고 나. 함께 저녁을 먹고 까페에서 쇼콜라를 마시며 이야기한다. 참 부럽다. 인생의 선생님이 파리까지 찾아 주신 거며 이런 멋진 분이 지켜주신

다는 게. 그리고 즐겁다. 이런 분을 알게 돼서.

하루하루 지나가는 게 아쉽다.

저는 항상 선생님 같은 선생님이 되고 싶었어요. 겉으로는 차가운 것 같으시지만 세상 그 누구보다도 따뜻하신 분이고, 제자들을 너무 사랑하시는 멋진 선생님. 지금 생각해도 아이들을 데리고 알리앙스 프랑세즈를 간다거나, 파리에서 수업자료를 녹음하신다거나 하는 것은 학생들을 향한 엄청난 사랑과 열정이 아니면 절대 할 수 없는 일 같아요.

선생님께서 대광여고를 떠나신다는 말을 들을 때 한편으로 기분이 이상했지만 (저에게 있어서 대광여고= 양수경 선생님이시거든요), 또 한편으로는 멋지신 선생님의 앞으로가 더욱더 기대됩니다. 파리에서 항상 선생님과 나누었던 이야기 기억하고 있어요. 파리 민박! :D

왈가닥에 노는 것을 좋아하고 어느 것 하나 잘하는 것이 없이 평범하고 눈에 띄지도 않는 저 같은 학생도 사랑으로 보듬어 주셔서 감사합니다. 선생님.

그때도 그랬지만 지금도 여전히 선생님은 저에게 최고로 멋지신 분이세요. 앞으로 선생님 더욱 꽃길만 걸으세요.

사랑하고 존경합니다.

립스틱 덧바르고

한수봉

저는 선생님께 직접적인 배움을 받기 시작한 것은 대학교 4학년 시절 교생실습 때였습니다. 여고 시절엔 제2외국어로 독일어를 선택했었기에 선생님을 복도에서만 뵙고 소문으로만 들었던 정도였는데 왠지 무서우실 것 같다는 선입견이 있었습니다.

선생님께서는 아마 기억 못 하시겠지만 그러던 중 방과 후 독일어반 수업에서 사정상 독일어 선생님 대신 선생님께서 들어오셨던 적이 있었는데 저는 아직도 그때의 제자리도 기억하고 있답니다. 엄청 무서우신 줄로만 알았는데 말씀도 되게 편하게 하시고 부드러우시고 내 생각이랑 완전 다르시구나 하고 느꼈던 것이 선생님과의 첫 대면 느낌이었습니다.

그 후 교생실습 당시에는 저희 전체 교생들을 담당하시는 일을 맡으셔서 고생을 많이 하셨던 기억이 납니다. 모두 모교 졸업생들이었기에 하나부터 열까지 꼼꼼히 가르쳐주시고 챙겨주셨습니다. 실습 당시 에피소드라면 당시 교생들 모두 이 일을 꼽을 것 같은데요.

점심시간 교직원 식당에서 후식으로 나온 초코파이를 누군가가 하나 더 먹겠다고 장난을 치다가 꾸중을 들었던 기억이 납니다. 아마도 학창시절 동기들끼리 모이다 보니 교생실습도 엄연한 예비 교사의 신분으로 임해야 함에도 신중함이 부족한 탓이었던 것 같습니다.

나중에 이 사실을 전해 들으셨던 선생님께서는 매우 속상해하시며 내가 혼내는 건 괜찮아도 다른 선생님께 혼나는 건 속상하다는 말씀을 들었을 땐 단순히 많이 혼나겠구나라고 잔뜩 주눅 들어있었던 제 마음에서 묘한 기분을 느끼게 했었습니다. 나중에 저도 사회에 나와 학교에서 학생들을 가르쳐보니 조금은 그 마음을 알 것도 같았습니다.

한 가지를 더 들자면 선생님께서는 본인이 컨디션이 안 좋은 날에는 화장기 하나 없는 모습으로 출근했다가도 수업 들어갈 때만큼은 파운데이션과 립스틱을 한 번 더 덧바르고 교실로 향하신다는 말씀을 하셨습니다. 본인의 아픈 모습을 학생들로 하여금 알게 하고 싶지 않기 때문이라고 하셨습니다. 교사로서 강한 모습만을 보이기 위해 아프고 약한 모습을 감추고 싶다는 것이 아니라, 그런 모습이 학생들에게 영향을 미친다는 것을 잘 알고 계셨던 까닭입니다. 그때의 말씀은 상당히 본보기가 되어 아직도 제 마음속에 남아있습니다.

아직도 저는 선생님께 배울 것이 너무나 많고 챙김을 받는 제자라는 기분이 듭니다. 저를 포함하여 정말 수많은 제자가 있으시겠지만 처음 명퇴하신다는 말씀을 전하시며 '내가 아끼는 제자이니 글을 부탁한다'라는 말씀을 들었을 때 마음이 아주 뭉클하였습니다.

내가 선생님의 제자가 된 지 벌써 이렇게 여러 해가 지났다는 생각과 함께 그동안 연락도 자주 못 드리고 죄송스러웠는데도 여전히 나를 아끼신다는 말씀에 감사했습니다.

선생님께는 말씀드린 적은 없지만 제 교사로서의 롤모델이신 선생님께서 더 교단에 계셔주시길 바라는 마음도 있습니다. 누구보다도 제자들을 사랑하시고 제자들을 위해 애쓰실 분이라는 것을 알기 때문입니다. 하지만 또 그렇기 때문에 더 애써달라는 부탁을 드릴 수도 없다는 생각도 듭니다.

저는 지금까지 선생님의 '선생님'으로서의 모습만을 보아왔지만, 퇴직 후의 선생님의 모습도 분명 활기차고 또 다른 무엇인가의 목표를 설정하시고 그것을 완벽히 해나가실 선생님의 모습이 기대됩니다. 또한, 제자들과도 여전히 소통하시며 지금까지 그러셨던 것처럼 앞으로도 제자들을 위해 마음 쓰실 것이라고 믿습니다.

학창시절 특별히 기억에 남는 은사님이 있느냐는 질문에 항상 답이 되어주셔서 감사합니다.

앞으로 어떤 모습으로 저에게 가르침을 주실지 기대하며 선생님의 새로운 시작을 응원합니다.

영원한 스승, 양수경 선생님!

홍연주

1학년 3반 32번... 번호까지 잊히지 않는 고1 여고 시절!

시골에서 중학교까지 마치고 고등학교를 광주로 유학 온 저는 형제들과 자취를 했습니다. 학교에서 버스로 30분이 넘게 걸리는 데도 선생님은 자취하는 곳까지 방문하셔서 생활환경을 살피셨습니다. 친정어머니의 옷을 자랑스럽게 입고 오시거나 여름에도 몸이 추운 기운을 느끼면 과감히? 두꺼운 옷을 입고 오셨습니다. 여고생 55명이 총각 선생님 수업시간에 장난이 지나쳐서 시끄럽게 되어 옆 반에서 수업하시던 선생님 수업에까지 지장을 준 일에 크게 실망하셨을 때는 일주일간 묵언의 회초리로 우리의 진땀을 빼기도 하셨습니다. 선생님에겐 우리가 '내 자식들' 이었습니다.

타인의 눈과 생각이 내 행동에 더 큰 기준이 되던 시대였지만 선생님에겐 거추장스런 악세서리일 뿐이었습니다.

당시 두발을 학교에서 점검하던 때였는데 항상 짧은 컷을 했던 저는 두발 체크에서 걸리기는커녕 너무 짧았습니다. 그런 제게 선생님께선 "연주야, 넌 짧아도 너무 짧아. 조그만 길러라" 하실 정도였죠.

선생님은 가끔(기억을 소환하면 일주일에 한 번 정도?) 점심시간에 반에 오셔서 50명이 넘는 학생들의 젓가락을 일일이 이용해 한 번씩 아이들의 도시락을 드셨습니다. 지금은 일어날 수도 없는 일이지만 저의 모든 학창 시절을 통틀어, 그동안 만나왔던 지인들의 추억 속 선생님 중 단 한 분도 그런 선생님을 들어본 적이 없습니다. 선생님만의 찐 사랑이 었습니다. 당시 대학생과 고등학생 둘을 교육시키시는 부모님께서 넉넉하게 생활비를 주시지 못했습니다. 언니는 매일 다섯 개의 도시락을 싸야 했고 좋은 반찬이 별로 없어 부끄러운 마음에 점심때 선생님이 오시지 않길 바란 적도 있었습니다. 그러나 쓸데없는 생각임을 알았습니다. 1년 내내 선생님은 '젓가락 사랑'을 주셨습니다.

즈베 뛰바 일바 엘바 누살롱 부살레 일봉 엘봉... 즈쉬 띄에 일레 엘레 누솜므 부제프 일송 엘송(Je suis Tu es Il est Elle est Nous sommes Vous êtes Ils sont Elles sont)... ... 아직도 외우고 있는 불어의 1군, 2군, 3군 대표 동사 인칭 변화형들!

교실 전면을 채우고 있는 녹색 칠판을 8칸으로 나누시고는 행으로 8개씩 놓인 책상의 주인들에게 첫 줄부터 나와서 동사 변화형을 적는 퀴즈게임을 시행하셨죠. 가장 늦게까지 분필을 들고 동사 변화형을 잘못 쓰는 친구에겐 선생님의 종아리 마사지 한 대가 기다리고 있기에…. 우린 그걸 피하기 위해 칠판까지 전력 질주를 했답니다.

선생님의 남다른 제자 사랑과 가르침을 다 옮기려면 제가 책을 내야 할지도 모릅니다(물론 동창들의 기억을 도움받아야겠지만).

오랫동안 교단에 계시며 많은 제자를 양성하시고 분야에서 쌓은 공로로 멋진 영향력을 끼치신 선생님께 큰 감사를 드리며 선생님의 제자인 게 영광입니다. 또 새로운 삶이 시작되었기에 축하드리며 선생님의 건강과 행복을 항상 빕니다.

제3부

그리고 남은 이야기

번데기 앞에서 주름잡기

프랑스 교육대표단 앞에서 프랑스어 공개수업

2019년 12월 7일.

어제 학교에 귀한 손님들이 오셨다. 몽펠리에 부교육감을 비롯하여 몽펠리에 교육청 관계자와 우리 학교 국제교류 상대 학교인 장 모네 고등학교 교장 선생님, 몽펠리에 한글학교 이장석 교장 선생님, Corée d'ici 남영호 예술감독까지 몽펠리에 교육대표단 그리고 광주시 교육청 관계자 등 12명이 학교를 방문해 나의 공개수업에 참석하셨다.

프랑스인들 앞에서 프랑스어 수업을 한다는 것은 공자 앞에서 문자 쓰는 것만큼이나 부담스러운 일이지만 구상했던 수업계획안대로 수업이 잘 진행되었다. Jacques Prévert의 시 'Déjeuner du Matin'를 활용하여 복합과거를 가르쳤다. 복합과거 형태와 용법을 설명하고 과거시제 문장을 만들고 불러준 문장을 직접 적게 하고. 클립에 나오는 그림에 맞춰 시낭송을 해보고...

받아쓰기를 위해 첫 문장을 읽고 있는데 참관하고 있던 몽펠리에 장학사와 부교육감, 그리고 장 모네 고등학교 교장 선생님이 자신들도 한 문장씩 불러도 되냐고 물어보시면서 모두가 수업에 즐겁게 동참했던 것 같다.

학생들도 많은 외국인 앞에서 긴장했을 텐데 평소처럼 활발하고 자신 있게 수업에 임했다. 부담스러운 행사였는데 잘 마쳤다. 학생들의 행복해하는 모습이 곧 교사의 보람이고 행복이다.

몽펠리에 대표단 방문 시 공개수업 장면

2019 국제교류 활동

　　외국과 교류활동을 시작한다는 것은 생각보다 복잡하고 힘들어서 충분한 행정적 뒷받침과 실무자들의 빈틈없는 준비가 필요하다. 혼자서 국제교류를 위한 행정과 실무적 업무를 다 수행한다는 것은 역부족이다. 국제교류 사업을 해당 국가 언어에 해당하는 한 교과의 일로 제한하고 학교 차원에서 대응하지 않으면 일시적 교류활동에 불과하게 된다. 그러나 국제교류는 말이 그렇듯이 학생들을 통환 민간 외교활동의 하나다. 일시적이고 일회적 교류를 벗어나서 지속적인 교류를 통해 학교를 졸업하고도 교류활동으로 이어진 인연으로 대학교나 사회생활에서 서로 인프라를 구축해나가야 한다. 그러나 한국은 입시제도의 현실에서 봤을 때 다른 나라보다 아직 기반이 약하다.

　　국제교류 프로그램 실행을 위한 프로그램을 기획하고 예산을 책정하며 결재 과정을 거쳐서 실행하기까지 국제교류를 진행하기가 너무 버거웠다. 국제교류를 업무로 해서 적어도 2~3명의 요원이 필요하다. 국제교류 외에도 학적 업무를 맡았는데 어떻게 하루가, 한달이 지났는지 모른다.

　　교류활동의 준비과정을 잠깐 소개하고자 한다.

　　교류 파트너를 결정하기 전에 상대 학교와 참가자 자신들의 자기소개에 관한 정보를 공유하고, 프랑스 국제교류 담당교사와의 협의를 통하여 파트너를 선정했다. 홈스테이 방식이기 때문에 애완동물에 대한 취향, 채식주의자 여부, 종교 행위, 특정 음식이나 물질에 대한 알레르기, 종료로 인한 기피 음식, 건강상 지속해서 복용하는 약물복용 여부 등이 파트너를 선정할 때는 고려해야 하는 요소가 매우 많고 세세하게 점검해야 하는 매우 중요한 작업이었다.

그런 사전작업을 통해 드디어 2019학년도 국제교류가 시작되었다.

새벽 5시에 인천공항에 도착한 프랑스 팀들이 점심나절이 되어서 학교에 도착했다. 환영행사와 점심이 이어졌다. 역시 학교식당에서 학생들과 같이하는 급식시간을 가졌다. 국제교류는 각 파트너의 홈스테이 형식으로 이루어져서 학생들이 도착하기 전에 3번의 학부형 교육이 이루어졌다. 문화의 차이와 생활방식 그리고 학부형들이 가장 신경 쓰이고 스트레스였던 가정 내에서의 프랑스 파트너의 식사를 어떻게 할 것인가에 관한 교육시간을 가졌다.

도착한 날은 점심 이후 오후에 학교 소개와 수업을 같이 하게 될 교사소개 등이 이루어졌고 오후 늦게는 프랑스 학생들을 일주일간 돌봐줄 학생들의 학부모가 학교에 도착했다. 학부모와 양 국가의 파트너들을 한 팀으로 하여 모두 소개를 마친 뒤 학생들은 각자 파트너의 집으로 귀가했다.

다음 날 오전에는 모두 한 교실에 모여 한국역사에 대한 이해의 시간을 가졌다. 오랜 역사를 바탕으로 한국과 프랑스가 병인양요를 비롯하여 역사 속에서 어떤 관계를 맺고 있었는지를 알아보고 한국의 KTX와 프랑스의 TGV에 대한 관계도 설명했다.

K-POP 덕분에 한국어에 많은 관심을 보인 학생들에게 국어수업을 참관하게 했으나 학생들의 관심사와 너무 현실적인 수업의 차이 때문

에 그들의 관심을 만족시키진 못했지만 그래도 한국의 국어수업을 소개한 것은 잘한 것 같다. 한국사와 국어수업을 참관하고 미술과 체육 그리고 음악수업은 동참하게 했다.

수업외 활동으로는 K-POP 관련 댄스 배틀과 노래가 이어지고, 한국의 전통놀이인 제기차기, 공기놀이, 윷놀이 등을 즐기면서 학생들은 시간이 흐를수록 점점 친해지고 있었다. 교류팀이 아닌 학생들도 본교의 교사들도 상대국 학생이나 지도교사 들에게 봉주르!(Bonjour! 안녕하세요!)와 메흐씨! (Merci! 고맙습니다!)를 건네며 친절히 대해줘서 매우 고마웠다.

학교 밖 문화체험으로 광주 시청을 방문하여 정종제 부시장님과 만남이 이루어졌고 또한 광주의 대표적 역사적 가치인, 5.18에 대해 이해하는 시간을 가졌다. 〈5월 어머니 집을 방문하여 주먹밥 만들기 체험을 중심으로 5.18에 대한 역사적 가치와 민주주의의 승리에 대한 설명을 듣고 학생들의 숙연한 모습에 교육의 중요성을 느꼈다.
또한, 한국전통문화관을 방문하여 전통한복 입고 큰절하는 법 배우기와 증심사 템플스테이를 통하여 한국의 정적인 문화의 체험 또한 매우 차별화된 문화체험이었다.

방 안의 코끼리 상황 벗어나기

주한 프랑스 대사와 하원의원들의 대광여고 방문

2019년 11월 26일.

Philippe LEPORT 주한 프랑스 대사님과 한불 하원의원 친선협의회 사절단 5명 그리고 다비드 프노 정무 참사관이 오늘 대광여고를 방문하셨다. 이번 9월 새로 부임하신 대사님과 한국 체류 이틀째이신 5명의 하원의원 사절단은 학교 및 교육청 관계자와 짧은 간담회를 마친 후 학교를 둘러보셨다. 학생들과의 대화시간에 우리 학생들에게 용기와 격려를 아낌없이 해주시며 매우 즐거워하셨다. 다음은 학생들이 대사와 하원의원에게 했던 질문이다.

- 힘든 순간들을 어떻게 극복하셨는지?
- 받아드리기 힘든 부탁은 어떻게 거절하시는지?
- 방 안의 코끼리 상황이라면 어떻게 처신하실 것인지?
- 고등학교 때 성적은 좋았는지?
- 쏟아지는 잠을 어떻게 극복했는지?
- 외교관으로 근무할 때 집안의 애경사는 어떻게 하는지? 등 많은 질문이 쏟아졌다. 학생들은 그들의 질문에 대한 답변을 메모하는 등 진지한 모습으로 경청했다.

대사님과 하원의원들이 번갈아 가며 진솔하게 대답해주셨다. 진지한 순간들이었다. 대광여고생들에게 프랑스 하원의 문을 언제나 활짝 열어놓으시겠다고, 언제든지 방문을 환영한다 하셨다. 학생들은 평생에 잊지 못할 소중하고 귀한 경험이고 추억이라며 환호성을 지르며 좋아했다.

　　필립 르포르 대사님은 제롬 파스키외 대사님과 파비엉 페논 대사님에 이어 본교를 방문한 세 번째 대사님이시다.

천불천탑의 비밀

2019년 10월 14일.

프랑스 국제교류 지도교사들과 증심사 템플스테이를 마친 일요일 오후, 천불천탑으로 유명한 화순 운주사를 방문했다.

가을을 재촉하는 나뭇잎 색깔, 산사의 넉넉한 평온함 그리고 와불의 모습과 즐비한 석탑의 나열에 한국 가을의 아름다움을 만끽하면서 수많은 질문이 쏟아진다. 영어 안내문을 건네줬는데도 호기심은 끝이 없다.

- 왜 9층 석탑이고
- 9층은 무엇을 의미하며
- 탑의 높이는 무엇과 상관이 있고
- 왜 그 많은 석탑 중에 이 탑이 제일 앞에 위치했는가?

난 일단 보물 제796호라고 대답해주고 나머지 질문은 사무실 찾아가 물어봐서 답을 해주겠다고 했다. 사무실 직원의 설명은 9층의 의미와 높이의 상관관계는 특별한 의미가 없고 다만 탑 아랫부분이 넓고 크지 않은데도 9층까지 탑을 올릴 수 있다는 것이 대단한 것이며 나머지 탑의 높이는 균형을 고려한 것이라고 설명해주셔서 통역하긴 했지만 그들의 호기심을 만족하게 하진 못한 듯하다. 우리나라 문화에 대한 무지가 나를 더 쓸쓸하게 한다. 공부는 끝이 없구나!

프랑스 학교에서 한국 문화를 강의하다

2018년 1월 24일.

프랑스 도착 후 벌써 나흘째다. 파리 도착 후 회의와 시차 적응이 안 된 관계로 피곤하지만, 도리 없이 감당해야 하므로! UNESCO 주최 선진국 교사교류 프로그램에 전공이 다른 5명의 교사가 혹독한 심사를 거쳐 전국단위로 선발되었다. 한국과 프랑스 양 국가의 교사 교환을 통하여 양 나라의 문화와 교육을 알리고 그 매개체로 사용하는 수업기법을 공유하자는 취지였다. 나는 디종 옆에 위치한 BAUNE으로 배정되어 한국어와 한국 문화에 대해 2주간 수업할 예정이다. 한국에서는 별로 알아주지도 않은데 이곳에서는 프랑스 정부 훈장을 받았다는 스펙 덕분인지 그 짧은 일정 중에 시장 접견이 예정되어 있었다.

며칠이 지난 후 시장면담이 이루어졌고, 학생대표와 교장, 그리고 내 파트너와 함께 시청을 방문했다. 시장님은 촛불 집회와 위안부 문제 등에 대해 질문하셨고 한국의 교육시스템에 대해 궁금해하셨다. 다음날 자신의 페이스북에 나와 만난 글을 올렸고 그것을 읽은 학교 동료가 나에게 그 글을 보내왔다. 2주가 거의 끝나갈 무렵 그 학교 선생님들 앞에서 공개수업을 했는데 그 현장에는 신문기자가 취재를 왔고 나와 인터뷰도 했었다. 나의 파트너인 Géraldine이 기사가 실린 그 신문을 내게 사다 주었다.

2주 프로그램을 마치고 각 도시로 흩어진 5명의 교사가 Paris에 다시 모였다. 그동안 가르친 내용과 경험담을 교수-학습관점에서 보고서를 작성하여 프랑스 교육부에서 발표해야 했다. 여전히 테러 위험을 느끼고 있었던 프랑스는 교육부 건물에 들어가는 사람을 상대로 철저히 소지품 검사를 했다. 지금까지 여러 번 프랑스를 방문하여 각종 연수와 공부에 참여했지만, 이번처럼 학교현장에서 학생들을 상대로 직접 수업을 하고, 교사들과 같이 근무하며 학생을 상담했던 경험이 가장 소중하고 값졌던 것 같다. 프랑스에서는 학생상담은 교장, 행정처리는 교감, 그리고 수업과 평가가 교사의 주 업무라고 한다. 학생의 생활지도 및 수업, 공문처리까지 해야 하는 한국의 실정과는 많이 다르다.

프랑스 BAUNE 지방지에 실린 사진

파리 엘리제궁에서 만난 한·불 대통령

나와 대광여고 학생들이 마크롱 대통령 이름의 초대장을 받은 것은 내가 다시 태어나도 있기 어려운 천운이다.

2018년 10월 15일!

엘리제궁에서 한국과 프랑스, 두 국가 대통령을 만나다!!!

대광여고와 장모네 고등학교 간 국제교류 사업 진행 때문에 밤늦게 파리에 도착한 그 날, 10월 14일은 차가운 가을비가 내리고 있었다. 다음날 아침, KBS에서 요청한 대로 학생들과 인터뷰 장소인 샹젤리제 거리로 나섰다. '교육과 문화의 교류'라는 화두로 한국과 프랑스 두 대통령이 만나던 그 날! 나와 대광여고 학생들이 마크롱 대통령 이름의 초대장을 받은 것은 내가 다시 태어나도 얻기 어려운 천운이다.

이 초대는 9월 초 대광여고에 강의차 오셨던 파비엉 페논(Fabien PENONE) 주한 프랑스 대사의 제안으로 성사되었다. 학생들에게 기념 강의를 마치시고 강의 후 학생들과 대담을 하시는 등 45분 정도의 시간을 학생들과 함께한 대사님의 얼굴엔 시종일관 미소가 가득했다. 대사님은 강의를 끝내고 잠시 교장 선생님을 비롯한 여러 인사와 짧은 담소를 나누는 중에 내가 프랑스 정부로부터 Palmes Académiques(학술공헌 훈장) 훈장을 받았으니 문재인 대통령 프랑스 국빈 방문에 맞춰 초대하고 싶다고 말씀하셨다. 제안을 해주신 것만으로도 기뻤지만 나는 염치도 없이 나만 초대하지 말고 학생들까지 같이 초대해달라고 말씀드렸다. 갑자기 초대 인원이 늘어나서 어쩔지 모르겠지만 힘써 보겠다고 말씀하셨다. 그러나 출발 일주일 전까지 아무 연락이 없었다. 나는 파리 일정을 확정하지 못하고 조급한 마음으로 대사관에서의 연락을 기다리고 있었다. VIP의 일정은 사전 누출이 쉽지 않다는 정보를 접하고 하루에도 몇 번씩 메일함을 확인했다. 시간이 흐름에 따라 실망이 짙어질 즈음에 다음과 같은 메일이 도착했다.

제목: Invitation au Dîner d'Etat offert en l'honneur de Président de la République de Corée (Lundi 15 octobre 2018 - 20 heures) 대한민국 대통령을 영접하기 위한 국빈 만찬 초대 (2018년 10월 15일 20시)

Madame YANG,

Je vous prie de bien vouloir trouver en pièce jointe les invitations pour le Dîner d'Etat offert en l'honneur de S. Exc. M. MOON Jae-in, Président de la République de Corée, et son épouse par M. le Président de la République et Mme MACRON au Palais de l'Elysée, le lundi 15 octobre à 20 heures.

J'ajoute également en pièce jointe les recommandations pour cet évènement.

Je reste à votre entière disposition.

Très cordialement,

Le Protocole

Présidence de la République
Mail : reponses.protocole@elysee.fr

(마크롱 프랑스 대통령과 영부인이 문재인 대통령과 영부인을 10월 15일 저녁 8시에 엘리제궁으로 초대하는 만찬장에 당신들도 참석을 바라는 초대장을 보냅니다. 이 만찬을 위한 초대장을 동봉합니다.)

첨부파일로 나를 비롯한 참석자 전원 개개인 이름으로 초대장이 함께 곁들여 도착했다. 메일을 확인하는 순간 너무 좋아 교무실에서 소리를 지를 뻔했다. 초대는 그렇게 성사되었다.

늦은 오후쯤 파리에 도착 예정이었던 아시아나 비행기는 몇 차례 출발의 지연으로 밤 8시가 다 되어 Charles de Gaul 공항에 도착했다. 학생들은 넓은 공항과 외국인으로 가득 찬 낯선 곳에서 긴장과 피곤함에 지쳐있으면서도 혹시 선생님을 놓칠까 봐 불안과 긴장된 표정으로 내 주위로 모여들었다. 물론 나도 긴장이 되었다. 평소처럼 혼자가 아니고 이 많은 학생을 인솔하는 지도교사로서 책임이 막중했기 때문이다. 예산이 넉넉하지가 않아 교류 기간 우리 일행을 싣고 다닐 셔틀버스는 구하지 못하고 대중교통을 이용해야만 했다. 도착한 그 시간 공항 밖은 이미 캄캄한 어둠으로 쌓여 차량의 불빛만 붉은 선을 그리고 있었다. 우리 8명과 캐리어 8개가 한 차에 다 탈 수가 없어 두 대의 택시로 나누어 목적지까지 가야 했으나 내가 속한 그룹으로 다들 타고자 하여서 할 수 없이 큰 밴을 타야 했다. 사람도 많고 짐도 많으니 우리 일행 앞으로는 차가 오지 않고 모두 비켜나갔다. 학생들은 피곤함과 긴장과 배고픔으로 지쳐가고 있었다. 학생들을 잠시 기다리게 하고 차량 지도를 하는 안내원에게 다가와 우리 팀을 태울 수 있는 밴을 구한다고 말했지만 시큰둥한 대답이었다. 밴이라고 해도 한 대에 모두가 탈 수 없으니 두 대로 가야 한다는 대답이었다. 차량 안내원의 설명에 이해는 하지만 이 밤에 혹시나 학생들 안전을 장담하지 못한 상황에서 도저히 나눠타는 것이 내키지 않았다. 고심 끝에 미리 인쇄해 온 엘리제궁 초대장을 보여주면서 다시 한번 부탁을 했다. 진짜 초대장인지 반신반의를 하길래 프랑스 정부에서 보내온 메일을 직접 보여줬다. 한참을 자세히 읽어본 후 잠깐만 기다리라고 하더니 그는 다른 동료들에게 몇 마디 이야기를 나눈 후 돌아왔다.

곧 밴이 도착할 거라고 그가 말했다. 학생들에게 돌아가서 조금만 기다리면 우리를 안내할 차가 올 거라고 말하고 안심을 시켰다. 곧이어 일반 밴보다는 좀 더 규모가 큰 밴이 도착했고 기사들이 옆에서 같이 우리 캐리어를 밴에 실어 주었다. 그 틈에도 혹시 보통의 가격보다 더 비싸게 나오지 않을까 걱정되어 기본요금을 물어본 후에 학생들을 태웠다.

우리 8명의 일행이 공항을 빠져나오는 동안 아이들은 피곤과 긴장에 싸여 파리 시내로 진입할 때까지 아무 말이 없었다. 다만 알제리 출신의 운전기사와 나만 그 침묵을 가르고 수다를 떨고 있었다. 아마도 내일 엘리제궁에서의 대화를 위한 기본 연습이었을 수도 있었다. 우리가 Gare de Lyon 근처의 숙소에 도착한 시간은 밤 9시가 조금 넘은 시간이었다. 방 배정을 끝내고 짐을 가져다 놓은 다음 다시 모였다. 다음 날 아침 9시 30분 샹젤리제 거리에서 KBS 방송과 인터뷰가 예정되어 있었기 때문이다. 아침 7시 40분에 만나 식사를 하고 Gare de Lyon 역에서 지하철을 타고 샹젤리제로 이동해야 했다. 몸은 피곤하지만, 실제

대중교통을 타고 이리저리 움직이는 것이 학생들에게는 실질적인 문화체험이 되기 때문에 좋은 경험이라고 말할 수 있다. 학생들에게는 그 부분을 말하고 피곤하더라도 긍정적으로 생각하고 즐겁게 일정을 잘 따라오라고 부탁했고 아이들은 기꺼이 긍정적인 생각으로 협조를 잘 해줬다.

1년에 8,000만 명이 넘는 관광객이 몰린다는 파리 시내의 한복판에는 문재인 대통령 프랑스 국빈 방문을 환영하는 태극기와 프랑스 국기가 12차선 샹젤리제 거리를 가득 채우고 있었다. 10월 가을바람에 펄럭이는 태극기를 바라보며 우리 학생들은 대광여고 교복을 입고 걸어가고 있었다. (엘리제궁 드레스 코드에 제복이 포함되어 있었기 때문에 예쁜 교복을 입기로 했다. 또한, 대광여고 교복은 대광여고 출신이면서 한양대에 근무하고 있는 노윤아 교수와 뉴욕에서 니트 디자이너로 명성을 떨치는 서난경 디자이너의 콜라보로 만들어졌다. 두 패션 전문가는 1989년 내가 고1 담임을 맡았던 때의 제자들이다.)

어제의 피곤했던 모습과는 달리 아이들은 사람들의 시선을 한 몸에 받으며 연신 즐거움과 신기함에 다시 수다쟁이들이 되었다. 많은 사람이 어느 나라 사람인지를 물어보고 한국이라고 했더니 K-POP 가수냐고 물어봤다. 가끔 한국 가요를 흥얼거리며 우리 아이들에게 한국말로 인사하는 인들도 있었다. 그럴 때마다 우리 아이들은 한국어로 인사를 건네는 외국인을 신기하게 보며 한국인의 자긍심을 느낀 듯했다. 개선문을 앞에 두고 우리는 KBS 카메라 앵글로 들어왔다. 여전히 즐거움의 비명을 지르고 깔깔대며 웃는 우리 아이들을 보며 참 뿌듯했다. 수많은 사람이 쳐다보는 가운데 KBS와의 인터뷰를 무사히 마치고 조금 더 거리를 활보(?)하다가 숙소로 돌아왔다. (이 장면은 인터넷과 유투브를 통하여 수없이 돌려봤다.)

만찬이 저녁 8시에 시작되기 때문에 우리는 그날 만찬의 드레스 코드에 맞춰 학생들은 교복을 입었고 나는 엘리제궁에 문의한 후 한복을 입었다. 엘리제궁 근처에 도착했을 때는 길거리에는 대통령을 보기 위한 많은 인파로 북적거리고 있었다. 근위병처럼 보이는 제복군인에게 초대장을 보이고 소지품 검사를 마친 후 엘리제궁으로 입성했다.

군악대가 연주하는 음악 소리와 함께 우리는 한 번도 겪어보지 못한 레드카펫을 밟으며 기자들의 카메라 셔터 소리와 함께 어색한 행진(?)을 하며 만찬장 안으로 들어갔다. 유튜브를 통해 그때의 실황을 자세히 감상할 수 있었다.

우리는 두 테이블에 나뉘어 자리에 앉았다. 테이블에는 각각 초대받은 사람들 이름이 적어져 있었다. 내가 앉은 테이블에는 청와대 행정관들이 자리했고 내 바로 옆에는 영광스럽게도 그 유명한 이우환 화백이 앉아계셨다. 베르나르 베르베르 작가는 내 뒤쪽으로 앉아있었고 디종에서 뛰고 있던 권창훈 선수도 참석했다는데 나는 그를 찾지 못했다. 권창훈 선수는 2018년 당시 내가 디종에 잠시 머물러 있을 때 실제 경기장에서 그를 응원한 적이 있다. 권창훈 선수 아버지의 초대로 디종 축구팀에 속해 있는 그의 경기를 볼 수 있었다. VVIP 자격으로 초대되었는데 그곳은 축구 후원회장 및 지역 인사들과 유명한 축구인들이 참석하는 엄청난 자리였었다.

엘리제궁 만찬의 주요리는 농어구이였다. 프아그라와 치즈는 물론 디저트로 티라미수와 쿠키도 모두 너무 예쁘고 맛있고 즐거웠다. 우리 아이들도 중후한 신사들이 단계별로 배달해주는 코스 요리 하나하나에 호기심을 보였다.

만찬을 즐기며 우리는 대통령과 사진을 찍기 위해 매우 민첩하고 발 빠르게 움직였다. 다행히 우리 테이블에 앉아 계시던 청와대 행정관의 도움으로 마침내 우리는 그 수많은 인파를 뚫고 들어가 문재인 대통령을 만날 수 있었다.

문재인 대통령은 학생들 한 명씩 모두 일일이 악수하며 학생들을 격려해주셨고 지도교사인 나에게도 어느 학교에서 왔냐고 물어보시고 광주 대광여고에서 왔다고 말씀드리니 그 먼 곳에서 여기까지 오셨냐며 반갑다고 말씀하시며 국제교류를 위해서 많은 애를 써주시라고 격려와 응원을 해주셨다. 또한, 그 만찬에는 영광의 이 자리에 우리를 초대한 파비엉 페논 주한 프랑스 대사님이 우리를 보시고 매우 반가워하셨고 대사님이 마크롱 프랑스 대통령과 브리지트 마크롱 대통령 부인께 우리를 소개해주셔서 같이 사진도 찍는 행운을 얻었다.

마크롱 대통령은 한복에 붙어있는 레지옹 도뇌르 훈장을 보고 축하한다고 말씀해 주셨고 나는 훈장을 계기로 주한 프랑스 대사의 제안에 따라 몽펠리에 도시의 장 모네 고등학교와 국제교류를 하게 되었다고 말씀드렸다.

혹시 대통령을 만나면 하게 될 말을 미리 준비하고 연습했는데도 많이 긴장되고 떨렸다. 프랑스 대통령에게 프랑스어로 말한다는 것은 정말 공자 앞에서 문자쓰는 것과 다를 게 뭐가 있겠는가!

우리 일행 중에 외교관이 되고 싶은 학생이 한 명 있었다. 그 학생은 정말 열심히 노력하고 공부해서 외교관이 되고 싶은데 경제적으로나 여러 가지 환경이 만족할만한 상황이 아니어서 조금은 풀이 죽어있는 아이였다. 열심히 하고자 하는 모습이 대견하고 예뻐 보여서 어떻게든 도와주고 싶었다. 그런데 그 만찬장에 강경화 외무부 장관이 보였다. 나는 그 학생을 데리고 장관 옆으로 다가갔다. 잠시 학생을 기다리게 하고 장관에게 말씀을 드렸다.

"안녕하세요, 장관님! 광주 대광여고 교사 양수경입니다. 국제교류 때문에 프랑스에 왔는데 우리 학생 중에 장관님처럼 외교관이 되고 싶어 하는 학생이 한 명 있는데 그 학생하고 사진 한번 찍어주실 수 있나요?"

너무나 많은 인파 속에서 바쁜 장관님을 붙들고 부탁을 어렵게 드렸는데 어떤 학생이냐고 물으셨고 난 옆에 기다리고 있는 학생에게 재빨리 손짓해서 장관님 옆에 서게 해서 드디어 사진을 찍었다. 미래 또한 명의 여성 외교관이 태어날 가능성의 시발점이기를 간절히 소망하면서. 강경화 장관님이 나하고도 사진을 찍어주셨고 다른 학생들과 모두 단체 사진을 찍게 되었다.

마땅히 사진을 부탁할 사람은 없고 장관님 시간은 별로 없는 것 같아서 옆에 지나가는 인상 좋고 깔끔해 보이는 한국분에게 사진 좀 찍어달라고 간청을 했는데 우연히도 강경화 장관님이 그분을 아시는 듯 웃으시면서 이렇게 말씀하셨다.

강경화 외교부 장관과 함께 (과기부 장관이 찍어주심)

"어이쿠 장관님 죄송합니다. 오늘 여러 번 사진을 부탁하게 되는군요!"
"아! 저분이 장관님이세요?"
"네. 과학기술부 장관님입니다."
"힐! 장관님, 감사합니다."

우리는 그 짧은 시간에 두 명의 장관을 다 보게 된 것이다. 그렇게 해서 나온 사진이 바로 위에 있는 사진이다.

양 국가 대통령들께 초대의 감사함과 영광스러움을 한국말로 프랑스어로 직접 말한 그것만으로도 그동안 자매결연을 추진해오면서 느꼈던 고생에 대해 위로를 받는 듯했다. 이후로 몽펠리에의 장 모네 고등학교와 국제교류를 이어오고 있으며 국제교류에 참여했던 학생들이 고등학교를 졸업한 이후에도 여전히 그들과 연락을 하며 한국과 프랑스의 교육과 문화를 공유하고 있다. 양국의 많은 학교가 국제교류에 동참하여 청소년들의 세계화에 기여하기를 희망한다.

지금은 만찬을 보낸 다음 날 아침, 국제교류 상대 학교인 장 모네 고등학교를 방문하기 위해 프랑스의 남쪽 도시인 Montpellier로 향하는 TGV 안에 있다.

국제교류 MOU 협정을 위한 사전답사

    한국에서 KTX도 제대로 타 볼 기회가 없었던 학생들에게 프랑스의 TGV는 나름 호기심의 대상일 것이다. 청소년 학생 할인을 받기 위해 학생들을 숙소에서 쉬게 하고 리옹역에 먼저 도착했다. 충분한 시간 전에 도착했는데도 예상보다 기다리는 줄이 너무 길어서 포기할까 망설이다가 그래도 청소년 할인적용을 받으려고 학생들 여권을 모두 챙겨갔다. 기다리면서, 인터넷으로 예매한 티켓 날짜를 연기하고자 하는데 소통에 어려움을 겪고 있는 한국인 관광객 문제를 해결해주고 다시 이어지는 오랜 기다림 끝에 드디어 할인을 위한 서류처리를 잘 마무리하고 덕분에 저렴한 가격으로 몽펠리에로 출발할 수 있었다.

    다음 날 대광여고와 국제교류를 원하는 몽펠리에에 있는 2개 고등학교의 교장과 몽펠리에 교육청의 담당자 그리고 각 학교의 대표 학생들과 만남이 예정되어 있었다. 교류를 위한 사전답사였기 때문에 여러 가지 세부사항과 협약조항을 상의해야 했다. 각 학교 국제교류 대표자와 교육청 담당자가 회의하는 동안 학생들은 상대 학교의 학생들과 수업 참관을 했다. 학교를 방문하기 전, 내가 상대 학교에 3가지 사항을 제안했었다. 수업 참관, 수업동참, 학교급식 함께 하기. (물론 우리 측이 급식비 지급을 하겠다는 조건)

    대부분의 국제교류가 언어 소통의 어려움을 이유로 상대국에서 주관한 문화체험 위주 활동이 주를 이루고, 학생들의 학구적인 수업동참이 미흡하다는 것은 이해가 가지만 그래도 개인적으로는 좀 아쉬운 부분이었다. 사전답사에서 그 부분을 적용해보고 진짜 국제교류가 시행될 때는 그 결과를 바탕으로 실천 가능한 계획을 세워볼 생각이었다.

교사들이 회의하는 동안 학생들은 각자 자신의 취향을 고려해 영화, 미술, 발레 등의 수업을 참관하였고 다시 모여서 연극과 음악 시간은 모두가 동참하여 통역의 도움을 받아 연극수업에 동참하여 프랑스 학생들의 큰 호응을 얻었다.

또한, 음악 시간에도 역시 악보를 보고 합창을 했으며 그들이 우리에게 자신들이 연습한 합창곡을 들려주자 우리도 나의 피아노 반주에 맞춰 음악 시간에 배웠던 노래를 합창하여, 이를 계기로 우리 학생들은 긴장과 불안에서 다소 벗어나서 상대 학생들에게 친밀감을 좀 느끼는 듯하였으며 양 국가 학생들이 서로를 지지하고 격려하는 흐뭇한 모습을 보여주었다. 이미 교육과 문화의 국제교류가 시작된 듯한 느낌이었다.

몽펠리에서의 모든 일정을 마치고 다시 파리에 도착하여 그동안 수업에서의 긴장을 좀 풀고 프랑스 체험학습을 시작했다. 먼저 소르본느 근처에 숙소를 잡아서 세계적으로 유명한 소르본느 대학을 방문하고자 했다. 몇 년 전에 프랑스에 유학중인 제자들과 방문했을 때는 별 어려움 없었는데 이와는 달리 숙소로 가는 길에 목격된 장면은 학생이 교문을 들어설 때 모두 학생증을 제시한 후 통과하였다. 지금 목격한 상황으로 봐서 내일 방문은 쉽지 않겠다는 불길한 예감이 들었지만 어떻게든 우리 학생들에게 그 유명한 소르본느 대학을 보여주고 싶었다.

불길한 예감은 단지 예감일 뿐이라고 스스로 합리화시키는 현실에서 대부분 그 정확한 결과로 예감의 확실성을 보여준다.

다음 날 학생들에게 늦잠을 푹 자게 하고 아침 식사를 마친 뒤, 소르본느 입성을 서둘렀다. 예상대로 교문 앞에서 제지를 당했다. 만약의 이런 사태를 위해 미리 그럴듯한 이런저런 준비한 이유를 둘러대며 들어가기를 원했지만, 프랑스의 대테러 이후에는 관광지나 명소, 그리고 역사적 건물에는 철저히 입장이 제한되어 있었고 학생들이나 교수, 직원들도 매일 아침 학생증이나 신분증을 제시해야만 통과한다는 것이다. 이해가 가는 상황이다. 그러나 어찌 여기서 포기하겠는가!

프랑스 대통령이 보내온 초대장, 그리고 만찬장에서 프랑스 대통령과 같이 찍은 사진 등을 보이며 다시 한번 부탁했다. 그 경비원은 초대장과 사진들을 들고 사무실 안으로 들어가고, 사무실 직원은 어디론가로 전화를 하고…. 일련의 과정이 흐르는 동안 학생들과 나도 긴장의 연속이었다. 안되면 할 수 없지만, 그래도….

드디어 경비원이 와서 입장 제한구역을 벗어나면 안 된다는 조건으로 30분 정도의 방문시간을 허락했다. 귀한 체험을 끝낸 후 학생들에게 대학 근처의 식당가, 문구점을 옷가게 등을 자유롭게 돌아다니는 2시간의 자유시간을 주었다. 나는 대학 입구 카페에 앉아서 비상시를 대비하고 있었다.

봉주르, 마담 양
Bonjour, Madame YANGI

초판 1쇄 발행 | 2020년 9월 25일

펴낸이 | 양수영

디자인 | 플로리앙 샤흐

기획 | 플로리앙 샤흐

번역 | 이선주

교정교열 | 송수영 김정숙

출판등록 | 435-17(2019) 초판발행

등록번호 | 제0000007호

주 소 | 서울시 종로구 새문안로 5가 4길 11-8 대우빌딩 30층

전 화 | (02) 733-3077

팩 스 | (02) 733-7078

이메일 | pineOXX@hanmail.net

저작권문의 | 9Tbox@hanmail.net

ISBN | 979-11-85776-20-0

값 12,000원

봉주르, 마담 양!
Bonjour, Madame YANG!

초판 1쇄 펴낸 날 | 4354년(2021) 4월 12일

지은이 | 양수경 외
디자인 | 명 크리에이티브
박은곳 | 명 크리에이티브
펴낸이 | 이윤옥
펴낸곳 | 도서출판 얼레빗
등록일자 | 4343년(2010) 5월 28일
등록번호 | 제000067호
주　소 | 서울시 영등포구 영신로 32. 그린오피스텔 306호
전　화 | (02) 733-5027
전　송 | (02) 733-5028
누리편지 | pine9969@hanmail.net
지은이 누리편지 | 97brest@hanmail.net
ISBN | 979-11-85776-20-0

값 12,000원

*이 책은 대광여고(광주광역시)에서 37년간 재직해온
　양수경 선생님과 제자들이 엮은 사랑의 편지입니다.